D0708427

Tessa de Loo · Der gemalte Himmel

Tessa de Loo

Der gemalte Himmel

ROMAN

Aus dem Niederländischen
von Waltraud Hüsmert

C. BERTELSMANN

Die Originalausgabe erschien 2000
unter dem Titel »Een bed in de hemel«
im Verlag De Arbeiderspers, Amsterdam

Umwelthinweis:
Dieses Buch und sein Umschlag wurden
auf chlorfrei gebleichtem Papier gedruckt.
Die Einschrumpffolie (zum Schutz vor Verschmutzung)
ist aus umweltschonender reyclingfähiger PE-Folie.

2. Auflage

Satz: Uhl+Massopust, Aalen
Druck und Bindung: GGP Media, Pößneck
ISBN 3-570-00549-6
Printed in Germany
www.bertelsmann-verlag.de

Das Leben wirft uns wie einen Stein empor, und hoch oben in der Luft sagen wir: »Schau, ich bewege mich.«

Fernando Pessoa

Erde

Heute habe ich in Pest meinen Vater beerdigt. Unbemerkt habe ich ein paar Kieselsteine genommen, die das Nachbargrab schmückten, und sie auf die frische Erde geworfen. Ich bin lange genug stehen geblieben, um zu beobachten, wie ein gelbes Kastanienblatt herabschwebte und am Fußende liegen blieb, am Fußende. Heute, nein, gestern habe ich meinen Vater beerdigt. Im Hotel Astória an der Kossuth Lajos utca 19–21 liege ich mit seinem Sohn im Bett. Ist es Glück, wenn ein dreißig Jahre altes Verlangen in Erfüllung geht? Oder kann es zu spät sein für Glück? Die Unmöglichkeit unseres Zusammenseins hat uns schließlich zusammengebracht.

Im vagen Schein der Nacht gleitet mein Blick über Möbel in imitiertem Empire, über die zerwühlte Bettdecke, über das Gesicht des schlafenden Mannes neben mir. Er hat gesagt, er habe mich immer geliebt. Ich habe erwidert, dass ich das Wort Liebe nicht in den Mund zu nehmen wage, aber dass mein Leben ohne ihn unvollständig gewesen sei, so, als hätte ich meine Bestimmung verfehlt. An jeder Erfahrung hat diese Unvollständigkeit genagt.

Gleich wird er aufwachen. Er wird aufstehen, sich rasch ankleiden, mich hastig küssen und gehen. Wenn ein Verlangen in Erfüllung geht, ist das vielleicht das Schlimmste, was einem widerfahren kann.

Wir hätten einander nicht zu begegnen brauchen. Unter den tausenden flüchtigen Begegnungen, die ohne Fortsetzung bleiben und wie verdunstetes Kondenswasser keine Spur hinterlassen, war diese eine die Ausnahme. Wusste ich es sofort? Nein, ich wusste es nicht. Ja, ich wusste es.

Wenn ich ihn nicht kennen gelernt hätte, wäre mein Leben vielleicht erfüllter gewesen. Erfüllt mit einer Zufriedenheit, wie ich sie bei anderen sehe, einer alltäglichen, in sich ruhenden Zufriedenheit. Abwesenheit von Unglück. Man mag Verachtung dafür empfinden, aber wer in dieser Zufriedenheit lebt, ist sich selbst genug. Ich denke oft an die Möglichkeit, ihn nie kennen gelernt zu haben. Von meinem Ich ohne ihn geht ein großer Reiz aus. Manchmal sehe ich wie auf einem Negativ, von dem es keinen Abzug gibt, mein nicht gelebtes, heiteres Dasein.

Das Gesetz von Ursache und Wirkung jagt mir Angst ein. Eine kleine Ursache und die großen Wirkungen. Meine Großmutter, die auf einer Steintreppe in Buda sitzt und zum ersten Mal ein Cello hört.

Manchmal bin ich sehr müde. Vielleicht ist es zu viel verlangt, die Ereignisse immer wieder heraufzubeschwören. Es erfordert eine krampfhafte, widernatürliche Anstrengung. Es sind die Leben anderer Menschen, die sich durch mich hindurch bewegen, fordernd, unbarmherzig. Sie bringen alles durcheinander, keine einzige Sicherheit ist ihrer maßgeschneiderten Tragik gewachsen. Ich brauche sie, wie sie sind, wie sie waren, um mich zu wappnen. Es hat mir alle Kraft geraubt mitzuerleben, wie ohnmächtig meine Eltern dem Lauf der Dinge gegenüberstanden; ihre Ergebenheit habe ich gehasst.

Ich muss heute über etwas so Banales wie die Inschrift auf einem Grabstein entscheiden. Es ist nicht banal, es wird eine bleibende Erinnerung sein, ein Beweis, dass er gelebt hat. Für wen? Für unbekannte Augen, die kurz auf dem Stein ruhen.

Ach, Jenö Rózsavölgyi, 1915–1995, ob der wohl mit dem Komponisten verwandt ist?

Himmel

Es ist ein breites Doppelbett, das meine gesamte Erinnerung einnimmt. Draußen, tief unten auf der Straße, ist es still; nur hin und wieder hört man das Geräusch eines vorbeifahrenden Autos. Ein Auto, so spät noch, ein verwischter Strich in der Nacht.

Ich liege auf der linken Seite, umklammere mit einer Hand den Metallrand. Ich presse die Wange an das kühle Metall. Wenn man auf der linken Seite schläft, belastet man das Herz, sagt meine Mutter.

Vom Bettrand aus schaue ich direkt in den schwarzen Amsterdamer Himmel. Die Nacht ist weit entfernt und ganz nah. Die Matratze wogt auf und ab wie ein Floß auf dem Ozean.

Ich bin achtzehn, ich habe nichts gegen die Nacht. Aber diese eine Nacht, in der ich mich noch befinde, möchte ich jetzt schon aus meinem Leben streichen.

Sie versuchen, mich nicht einzubeziehen in das, was sie gerade tun, sie lassen mich in Ruhe. Es ist etwas zwischen den dreien. Vielleicht ist das, was sie tun, dank meiner neutralen Anwesenheit legitim.

Weil ich nicht weg kann, möchte ich schlafen. Weglaufen wäre kindisch, ich bin achtzehn und sollte mich über nichts mehr wundern. Weil ich mit aller Macht schlafen möchte, bekomme ich Kopfschmerzen. Es wird eine Zeit kommen, sage ich zu den Kopfschmerzen, in der diese Nacht nichts mehr zu bedeuten hat, in der sogar die Erinnerung daran verschwunden sein wird. Schon morgen, wenn jeder von uns seiner Wege geht, werde ich mich fragen: Was war das für eine Nacht? Und schon dann wird es so sein, als hätte sie nichts mit mir zu tun.

Ich weiß noch nicht, dass sie ewig andauern und in allen möglichen und unmöglichen Schattierungen zurückkommen wird, immer wieder, als läge in diesem Bett, in dem ich offenbar überflüssig bin, der Anfang meines weiteren Lebens.

Ein Vierpersonenbett, das über der Erde schaukelt, mit schwarzen Bändern am Firmament aufgehängt. Eine Insel, auf der sich alles zusammenfindet und auf der alles anfängt. Neben mir schluchzt jemand. Ein unterdrücktes Schluchzen, das nicht gehört und doch gehört werden will. Es ist nicht meine Freundin, die schluchzt. Diana liegt auf der anderen Seite des einzigen Mannes im Bett. Neben mir liegt eine Studienkollegin Dianas, die ich flüchtig kenne. Sie schluchzt wegen dem, was ihr gerade in ihrem Beisein angetan wird. Sie schluchzt, weil sie selbst darauf hingesteuert hat, ich habe es deutlich gesehen, ich war Zeugin. Ich glaube, alle drei fanden es wichtig, mich als Zeugin zu haben.

Schluchz nur, ich habe kein Mitleid. Ich bin hart, ich will, ich hoffe noch, dass man das Leben selbst steuern kann. Ich sehe uns jetzt schon in der Zukunft, und auch dann werde ich kein Mitleid mit ihr haben.

Sie hat uns selbst hierher eingeladen, mich und meine Freundin Diana de las Punctas. Der Bewohner der Studentenbude hat amüsiert ihren Namen wiederholt, als wir hereinkamen. De las Punctas, artikuliert er übertrieben. Argentinisch, sagt Diana, mehr erklärt sie nicht. Er findet es exotisch. Den Namen und das Mädchen findet er exotisch, das sieht man sofort.

Aus Verlegenheit – der einzige Moment von Verlegenheit, den ich bei Diana an diesem Abend bemerke – lenkt sie seine Aufmerksamkeit auf mich. Kata, sagt sie und berührt mich an der Schulter, Kata Rózsavölgyi, ihr Vater ist Ungar, er spielt einen Csardas auf seinem Cello, wenn man ihn darum bittet. Der Student schaut von ihr zu mir. Er nimmt mich wahr.

Ich glaube, dieser Moment, in dem er und ich einander anschauen, hat sich losgelöst und ist in nebelhaftere Regionen emporgestiegen, wo er – nach einer Logik, die bodenständiger ist als wir selbst, einer Kraft auf unbekannter Wellenlänge – meinen Willen untergraben hat. Dieser Moment ist ein Vorbote. Eine Libelle, die das Wasser streift und emporsteigt. Es ist nichts, man vergisst es. Es ist alles, es existiert.

War es Juliette Gréco, die dieses Kleid eingeführt hat? Schwarz, tailliert, mit einem weißen Kragen und weißen Manschetten. Die Uniform einer Klosterschülerin. Aber mit der Suggestion verbotener Lüste im Dormitorium, wenn die Aufseherin das Licht ausgemacht hat. Oder war es Brigitte Bardot, die so ein Kleid trug in dem Film, in dem sie Zigarren rauchte?

Eine Saison lang hatte Diana so ein Kleid. Als die Mode vorbei war, schenkte sie es mir, der Kragen und die Manschetten hatten ihr blendendes Weiß verloren. Von mir getragen ist es eine Internatsuniform ohne die Suggestion. Meine Mutter sieht mich gern in dem Kleid. Was bedeutet, dass es meine Jungfräulichkeit betont.

Er nimmt mich wahr. Zu dem Internatskleid trage ich, um Verwirrung zu stiften, schwarze Flamencoschuhe, meine Mutter ist nicht dabei. Schon vorher sind ihm natürlich meine Haare aufgefallen. Ich kann sie nicht verstecken, auch wenn sie größtenteils zu einem Zopf geflochten auf meinem Rücken hängen. Jedem fallen immer zuerst meine Haare auf, erst dann nimmt man mich wahr. Der Student bemerkt auch die milchige Blässe meiner Haut, er folgert, dass ich nie braun werde, auch wenn ich den ganzen Monat August in der Sonne liege.

Ich nehme ihn auch wahr.

Mich schaut er anders an als meine Freundin und deren Studienkollegin. Ruhe kommt in seinen Blick, die Begierde verflüchtigt sich, sein Geist versucht blitzschnell, mich in eines seiner verfügbaren Bezugssysteme einzuordnen. Etwas scheint von weit her zu kommen, auch bei mir, während ich ihn anblicke. Eine Sekunde reicht bei der Begegnung mit einem Unbekannten aus, um die charakteristische, diesen einen Menschen prägende Konfiguration von Gesichtszügen in sich aufzunehmen, sodass man ihn künftig überall wieder erkennen wird, sogar in einer Menschenmenge. In dieser einen Sekunde erkenne ich den Bewohner der Studentenbude wieder, obwohl ich ihn noch nie zuvor gesehen habe.

Der Moment ist vorübergegangen. Das Erstaunen, der Unglaube, die subtile Befriedigung, wenn man etwas wieder erkennt, und sei es ein Geruch, ein Geräusch auf der anderen Seite der Welt. Die flüchtige, unsinnige Empfindung verschwindet, sobald sich der Student erneut den anderen zuwendet und die Besucher einlädt, vom Flur in sein Zimmer zu gehen.

Ein Zimmer wie in allen anderen Studentenhochhäusern, ein Zimmer, in dem man schläft und arbeitet. Ein Bett, ein Küchenstuhl, ein verschlissener Sessel, mehr Sitzgelegenheiten hat der Raum an einem Abend, der endlos dauern wird, nicht zu bieten. Höflich ist der Student nicht. Er hat sich die bequemste Sitzgelegenheit ausgesucht und schlägt die Beine übereinander. Meine Freundin und deren Studienkollegin haben keine andere Wahl als den Rand des Betts. Indem er sich in den Sessel setzt, scheint er bewusst darauf hinzusteuern, dass sie dort Platz nehmen, damit er an diesem Abend in aller Ruhe überlegen kann, welche von beiden am besten zu seinem Bett passt, die eine, die schon oft, vielleicht zu oft, darin gelegen hat, oder die andere mit dem exotischen Namen. Für mich ist an diesem Abend der Küchenstuhl bestimmt, am Rand des Vorspiels.

Ohne zu fragen, stellt der Student Wein auf den Tisch. Er zündet mehrere Tropfkerzen in Chiantiflaschen an. Mitte der Sechzigerjahre ist kein Beisammensein ohne Tropfkerzen, ohne mit Kerzentalg spielende Finger denkbar. Die Tropfkerzen stehen für eine neue Zeit, die erwacht; sobald sie angebrochen sein wird, ist es mit den Tropfkerzen vorbei. Eine Langspielplatte gehört dazu. Der Student kramt in seiner Sammlung. Man sieht, wie er eine Entscheidung trifft. Etwas von den Beatles, um uns sanft zu stimmen, oder von den Rolling Stones, um zu zeigen, dass er ein Mann ist? Behutsam, liebevoll legt er eine Platte auf. Ein Wasserfall geweihter Klänge, die man bei einem Ereignis wie diesem nicht erwarten würde, füllt den Raum.

Ein Orgelkonzert von Bach. Himmlische Harmonien, seufzt mein Vater und schließt die Augen. Seine Züge werden milder.

*

Er geht von der Sas utca zur Zsófia utca, dort hat er Musikunterricht. Eine Mütze auf dem Kopf, ein Cello auf dem Rücken. Er ist acht. Die Sonne scheint durch das Laub der Bäume und tupft Lichtflecken auf ihn und die Straße. Es sieht so aus, als käme er nicht voran. Die hohen Häuser beiderseits der Andrássy ut werfen ihre Schlagschatten; die Karyatiden, die die Balkone tragen, drohen sich auf ihn zu stürzen. Die Straße des Lehrers weicht zurück, scheint sich ihm entziehen zu wollen, ist unerreichbar, unzugänglich.

Während des endlosen Weges zum Unterricht, zweimal in der Woche, wird sein Widerwille gegen die Musik immer stärker. Gleich muss er den Saiten des Instruments do re mi ablisten, mi re do, gefolgt von dem, was sein Lehrer, nein, seine Mutter, von ihm fordert: Musik. Schmerz, und dann Gefühllosigkeit in den Fingerspitzen der linken Hand; Beben, Zittern, Verkrampfung der rechten Hand, die den Bogen hält. In der gleichgültigen, unermesslichen Weite des Alls gibt es niemanden, der so sehr leidet wie der kleine Musiker; sein Gehirn verkrampft sich, fast zerspringt ihm der Schädel.

Nun wartet er nur noch auf den Stock. Wenn seine Fingerkuppe oder seine unsichere Hand einen Fehler macht, senkt sich der Stock auf ihn herab, fester als nötig, unnötig. Sie können Jenö ruhig schlagen, hat seine Mutter gesagt, später wird er uns dankbar sein.

Jenö ist sich sicher, dass ihn der Lehrer auch ohne Zustimmung der Mutter schlagen würde. Der Stock glänzt von den Schlägen auf Generationen unwilliger Schüler. Er liegt immer bereit, gierig wartet er in Reichweite des Lehrers. Jenö denkt, dass der Lehrer den Stock so zornig schwingt, weil er Misstöne nicht erträgt. Der Lehrer ist so musikalisch, dass er die grässlichen Dissonanzen einfach nicht hören kann.

Ein Cello ist schwer, wenn man acht ist. Der Riemen, an dem es hängt, schneidet in die Schulter. Man möchte sich in die Straße verwandeln, in die Sonnenflecken, die Schatten. Man möchte einer der allerärmsten Passanten sein, die keinen Musikunterricht bezahlen können, man möchte sich in irgendetwas verwandeln, nur um nicht in die Musikstunde zu müssen.

*

Unter himmlischen, Liebe-deinen-Nächsten-Orgelklängen sitzen meine Freundin und deren Studienkollegin auf dem Bett wie zwei Frauenfiguren auf einem Gemälde von Edward Hopper. In verhaltener Erwartung. Sie trinken Wein. Der Student bietet ihnen Zigaretten an. Zum ersten Mal sehe ich Diana rauchen. Niemand weiß, wie lächerlich es ist, sie rauchen zu sehen. Zusammenhanglose Bemerkungen fallen, sie führen nicht zu einem Gespräch. Die Musik übertönt alles. Der Abend mit den Tropfkerzen und dem Wein ist nicht dazu gedacht, Ideen oder Erfahrungen auszutauschen. Wozu der Abend dient, hängt von einer subtilen, unsichtbaren Regie ab, die sich allmählich entfalten wird. Ein falsches Wort, eine falsche Geste, und jemand fällt aus der Rolle, die ihm die anderen zugedacht haben.

Meine Rolle ist es, auf dem Küchenstuhl zu sitzen und alles normal zu finden. Die anderen zu ermutigen, indem ich schweigend zustimme. Solange ich mich entsinne, erhalte ich Unterricht im Nichtvorhandensein; meine Eltern sind gute Lehrmeister. In Nichtvorhandensein habe ich es tatsächlich zu Höhenflügen gebracht, es ist meine zweite Natur.

Trotzdem sehen mich plötzlich alle an. Der Bewohner des Apartments hat mich gefragt, was ich studiere. Für einen Augenblick bin ich ein Intermezzo, eine Atempause.

Nachdem die Musik verklungen ist, beginnen meine Freundin und die Studienkollegin mit einem strapaziösen Konkurrenzkampf um seine Bewunderung, seine Begierde. Es erschöpft mich, sie so zu sehen, aber es gibt sonst nichts, auf das ich meine Blicke richten könnte. Diana schlägt das rechte über das linke Bein, ignoriert den hochrutschenden Minirock, lässt den Bleistiftabsatz hypnotisierend wippen. Die Studienkollegin macht einen Schmollmund, wie sie es bei Filmschauspielerinnen gesehen hat, die dann anbetungswürdig wirken. Man sieht es, man weiß es, es ist tausendmal gezeigt worden, man denkt, er durchschaut es, er lacht darüber, er liebt Bach.

Es amüsiert ihn. Er lässt es geschehen, er nimmt überlegen daran teil, ohne selbst zu handeln. Nur, damit die Spannung noch eine Weile anhält, macht er eine ausladende Handbewegung in meine Richtung.

Die Zuschauerin, die ich bin, antwortet gefügig. Ich studiere Kunstgeschichte. Aber eigentlich möchte ich Gemälde restaurieren, alte oder moderne, vielleicht lieber alte. Er legt die Stirn in Falten. Was ist an einem modernen Gemälde zu restaurieren? Ein Gemälde kann bei der Lagerung in feuchten Räumen oder beim Transport beschädigt oder im Museum von einem Verrückten mit einem Messer bearbeitet werden. Er nickt, erinnert sich an so einen Fall. Weil eine Stille eintritt, die »rede weiter, rede weiter« zu flehen scheint, füge ich hinzu, dass ich nach Italien möchte, um die alte Freskotechnik zu erlernen, und dass ich manchmal zur Übung bei Freunden oder Bekannten eine Wand oder Decke anmale.

Ihm fällt auf, dass unsere Gläser leer sind, er schenkt nach. Dann unternimmt er etwas gegen die Stille.

Du hattest doch eine LP von Bob Dylan, sagt die Studienkollegin. Eine verhaltene Beschwerde klingt darin an, jetzt ist es genug mit Bach.

Während Bob Dylans monoton nölende Stimme uns von der Pflicht zur Konversation entbindet, überlege ich mir, ob ich gehen soll. Es fahren noch Straßenbahnen. Aber ich sitze wie festgenagelt auf meinem Stuhl. Wie viele Gläser Wein habe ich getrunken? Werden wir betrunken gemacht? Eine Trägheit, ein unerklärlicher Widerwille lähmt den Drang, mich in Bewegung zu setzen. Die Möglichkeit zu gehen und mein Leben vor der Wende, die es nehmen wird, zu bewahren, verpasse ich wie eine Straßenbahn. In diesem entscheidenden Augenblick komme ich gegen die ungeheure Macht des Lebens, wie es ist, nicht an, mein Wille ist ein Blatt im Wind. In meiner Reglosigkeit bin ich ungewollt ein Element ihres Spiels, das Ernst ist.

*

Zum ersten Mal traf mich das Leben, wie es ist, als ich die Fotos und das gemalte Porträt aus Budapest sah. Onkel Miksa hatte die Bilder 1956 nach dem Aufstand mitgebracht.

Mein Vater muss es ertragen, dass die Augen, die uns von den Fotos anblicken, die seiner Verwandten sind, von denen niemand mehr lebt außer seinem Bruder Miksa sowie einem entfernten Cousin und einer Cousine. Hat Onkel Miksa darum die Alben mitgebracht? Die Fotos zeigen nur die wohlhabenden Familienmitglieder. Haben die ärmeren sich nicht fotografieren lassen? Von ihnen existiert nicht mal ein Hochzeitsfoto, nur das Aquarell von meiner Großmutter als Mädchen, das von einem Maler mit einer Leidenschaft fürs Folkloristische stammt.

He, du, muss er gesagt haben, willst du für mich Modell stehen? Ich kaufe dich frei für heute, ich kaufe dir den ganzen Knoblauch ab. Sie hat verlegen oder spöttisch gelächelt, was ist an ihr schon Besonderes? Aber sie erliegt der Verlockung eines freien Nachmittags und der Aufmerksamkeit, die ihr plötzlich zuteil wird. Vielleicht wird an diesem Tag ihr legendäres Selbstbewusstsein geboren. Sie beginnt ihre Zöpfe zu richten.

Nein, nein, ruft er, hör auf, ich will dich so, wie du bist. Dann macht sie Anstalten, den Strang Knoblauch, der ihr wie eine Kette um den Hals hängt, abzulegen. Auch das verbietet er ihr. Er will sie mit unordentlichen Zöpfen und mit dem Knoblauch.

Zuerst denke ich, sie schaut mich an, sie hat ihn angeschaut. Aber ihr Blick streift nur sein rechtes Ohr. Die hellgrauen Augen blicken wach an ihm vorbei, niemand wird sich jemals, ohne zu bezahlen, mit Knoblauch davongemacht haben. Wie die meisten Rothaarigen ist sie blass. Sie trägt ein hochgeschlossenes, sandfarbenes Kleid, mehr ein Kittel als ein Kleid. Sie ist gerade noch ein Kind, zehn, elf Jahre. Sie berührt einen. Wer sich das Porträt anschaut und die Unschuld und Tapferkeit sieht, ist ergriffen, auch wenn er vielleicht seinen Glauben an Unschuld und Tapferkeit verloren hat.

Als Onkel Miksa das Porträt aus der Tasche holt und es in den Lichtschein der Tischlampe hält, versammelt sich unsere Familie um das Bild. Alle sehen und empfinden das Gleiche. Mit der freien Hand deutet Onkel Miksa vom Porträt auf mich und wieder auf das Porträt. Er ist gerührt, seine Augen glänzen. Alle nicken, es stimmt. Mein Vater wendet sich ab und beginnt in den Alben zu blättern. Das Bild nistet sich in mir ein. Die Kraft des Bildes ist groß und existiert außerhalb der Zeit, so wie Nofretete von der Zeit unberührt bleibt. Von nun an wird das Bild da sein, einmal gesehen, nie mehr wegzudenken. Ab jetzt bin ich nicht mehr ausschließlich die, die ich bin, ein selbstständiges Ich, der Mittelpunkt der Welt, für den Kinder sich halten. Ich bin mir bewusst geworden, dass es ein »davor« gibt und ein »danach« geben wird, zum ersten Mal dämmert mir, dass ich sterblich bin. Ich weiß nun: Es hat jemanden gegeben, dem ich so ähnlich sehe, dass Onkel Miksa sich über die Wangen wischt. Sie ist in mir, alle können es sehen.

*

Ich bin fehl am Platz in dieser Studentenbude. Noch einmal unterbricht er das Balzritual, um mich etwas zu fragen. Ob ich Lust hätte, seine Zimmerdecke zu bemalen, mit einem Himmel, einer Hölle, einerlei, mit etwas, das er anschauen und von dem er träumen kann, wenn er im Bett liegt?

Ich weiß genau, dass das ein Ablenkungsmanöver ist, er will überhaupt keinen Himmel, er will die Zeit in die Länge ziehen. Trotzdem nicke ich, der billige Wein in meinem Kopf nickt mit, ob Himmel oder Hölle, mir ist es egal.

*

Onkel Miksa ist bei uns gestorben. An einer Krankheit der Seele, sagt meine Mutter, obwohl ich weiß, dass es die Krankheit ist, an der viele Menschen sterben, wenn Operieren sinnlos geworden ist. Onkel Miksa hat die letzten Tage des Aufstandes benutzt, um zu fliehen, die Grenzen waren noch offen. Wenn ich die Augen schließe, ist er wieder da, der erste Tote, den ich gekannt habe.

Er sitzt in einem Lehnstuhl, eine Decke über den Knien, er winkt mich zu sich, er tut so geheimnisvoll wie der Kasper, wenn er ein Geheimnis verraten will, das die Gretel nicht hören darf. Auch meinen Vater winkt er mit dem Zeigefinger heran, der muss übersetzen, wenn auch nur widerstrebend. Er will ja vergessen. Onkel Miksa beginnt bei der Geburt ihrer Mutter 1893, weiter reicht seine überlieferte Erinnerung nicht. Ein armseliges Dorf in Mähren, sagt er, ein Fleck auf der Landkarte, Holzhäuser an einer schlammigen Straße, keine Synagoge. Sárika konnte noch nicht laufen, als ihre Eltern nach Pest zogen, in eine kleine Mietwohnung in der Dob utca, im VII. Bezirk. Ihr Vater eröffnete einen Laden mit Gemüse, Obst, Dörrfrüchten und Nüssen. Sie bekam Geschwister.

Man stößt die Tür des Torbogens auf und gelangt durch einen Gang in einen rechteckigen Innenhof. Die Häuser mit den Laubengängen haben vier Stockwerke. In der Mitte steht ein Baum, der in seinem Streben nach Licht eine seltsame, übertriebene Höhe erreicht hat, die mit seinem dünnen Stamm nicht in Einklang steht.

Wie Mutter, murmelt mein Vater, die wurde auch größer, als sie war.

Onkel Miksa spricht unbeirrbar weiter: Zwischen diesem Baum und dem Eisengitter entlang der Laubengänge hängt immer Wäsche zum Trocknen. Das Viertel ist wie ein kleines Jerusalem; hier wohnen jüdische Familien, die von weit her gekommen sind, angelockt von dem Gerücht, in Pest gäbe es für alle eine Zukunft. In diesem Innenhof vermengen sich Gerüche und Geräusche, irgendwo gibt es Streit, oder es wird eine Beschneidung gefeiert, das Geräusch einer Säge mischt sich mit der Stimme eines Studenten, der halblaut den Talmud liest; es riecht nach frisch gehobeltem Holz und nach Essen. Hier wächst sie auf, sagt Onkel Miksa, aber wie der Baum dem Innenhof entkommt, indem er über die Dächer hinausragt, entwächst unsere Mutter durch ihre Heirat dieser dörflichen Enklave in Pest und möchte schon bald nicht mehr daran erinnert werden.

Mein Vater brummt zustimmend.

Leider, seufzt Onkel Miksa, hat sie nie das Alter erreicht, in dem man mit Wohlwollen auf die Kindheit zurückblickt.

Auch mein Vater wird dieses Alter nie erreichen, habe ich gedacht, wie alt er auch werden mag. In seinem Missbehagen gegenüber der Vergangenheit gleicht er also seiner Mutter. Ich bin neun, aber ich werde mich immer an das erinnern, was Onkel Miksa erzählt. Es wird mir nur ein einziges Mal gesagt, das ist mir bewusst, nur einmal wird es mir offenbart. Diese Aneinanderreihung von Wörtern, die aus seltsamen Klängen bestehen und mich in der Übersetzung meines Vaters erreichen, verweist auf eine Wirklichkeit, mit der ich bereits vor meiner Geburt verbunden war und die er mir vorenthalten hat.

Ich hätte ein Recht darauf, meine Großmutter zu kennen, meint Onkel Miksa.

Ich sehe sie im Marktgedränge am Donauufer in

Pest stehen, oder vor dem kleinen Gemüseladen ihres Vaters am Gozsdu udvar, trotz des Namens kein Hof, sagt Onkel Miksa, sondern ein Durchgang zwischen der Király utca und der Dob utca. Es gibt dort eine Schneiderwerkstatt, eine Bäckerei, einen Gerber, einen Schuster, einen Schlachter, der koscheres Fleisch verkauft, einen Schlosser, einen Friseur, eine Gaststätte, einen Buchhändler. *Fokhagyma!*, ruft sie und deutet auf ihr Kollier aus Knoblauch.

Knoblauch verkauft sie am späten Nachmittag, wenn die Schule aus ist. Sie besucht eine katholische Mädchenschule. Dort lernt sie Ungarisch, zu Hause wird Jiddisch gesprochen. Auch am Sabbat muss sie zur Schule, braucht dann aber nicht zu lesen und zu schreiben. Das hat die jüdische Gemeinde für Schüler an christlichen Schulen zur Bedingung gemacht. Beneidet von ihren nichtjüdischen Klassenkameraden kann sie einfach dasitzen, ohne etwas zu tun. Trotzdem hat sie schon früh einen Wahlspruch gehört, sagt Onkel Miksa, der verrät, dass die Lage der Juden nicht beneidenswert ist: *S'is schwer tsu sain e jid.*

Die Welt meiner Großmutter war genauso real wie meine. Die Begrenztheit eines Menschenlebens geht mich persönlich an, der Tod ist etwas, was auch mir widerfahren kann. Auch die Dinge kann ich nicht mehr unbekümmert betrachten. Sie können länger existieren als wir, wie das Porträt meiner Großmutter, das ihr der Maler geschenkt hat. Es war nur eine Fingerübung, hat er gesagt.

Wir müssen Angst und Respekt vor den Dingen haben. Und vor den Menschen? Angst oder Respekt? Ich schwanke immer lange zwischen beidem.

*

Weil keine Straßenbahnen mehr fahren, bleiben wir im Apartment des Studenten. Für Diana und ihre Studienkollegin ist es nicht weit bis in sein Bett, sie sitzen bereits den ganzen Abend darauf. Ehe sie unter die Decke schlüpfen, ziehen sie sich aus, als sei das selbstverständlich; Scham ist bürgerlich. Ich habe noch nie mit jemandem in einem Bett geschlafen, ich behalte etwas an.

Irgendwann in dieser Nacht bin ich eingenickt; ein leichter, ruheloser Schlaf, im Mund den Nachgeschmack des billigen Rotweins. Es ist ein unwirkliches, geträumtes Ich, das hier liegt und ahnt, dass es ebenso viele Möglichkeiten gibt, einander unglücklich zu machen, wie es Menschen gibt. Einmal werde ich halb wach, weil jemand über mich hinweg aus dem Bett steigt, um sich ins Waschbecken zu übergeben. Ein vages Ekelgefühl beherrscht den Rest meines Schlafs.

Das Tageslicht, das auf diese Nacht folgt, wird die Illusion wecken, dass es alles rein wäscht. Als wäre jeder Tag unseres Lebens eine Tabula rasa. Befreit von unserem alten Ich werden wir ein neues, ein rein gewaschenes Ich.

*

Wir beugen uns über die in Leder gebundenen Alben mit der Goldschrift. Es ist ein seltsames Gefühl, meinen Nachnamen unter einem Familienfoto zu finden. Jakob Rózsavölgyi mit seiner Frau Elza und den vier Kindern, Alice, Klára, Aron und Samuel. Es sieht aus wie ein offizielles Foto der Zarenfamilie. Sie sind bereits wohlhabend, reich werden sie erst später. Elzas Schönheit strahlt durch die Zeit und die mangelhafte Fototechnik hindurch. Jakob hat einen schwarzen Bart, er starrt nach rechts in die Ferne, als hätte er Wichtigeres zu tun, als für ein Familienfoto zu posieren. Die Kinder ähneln einander – die Wangen, die runden Augen, die kleine Nase. Weiße Kragen tragen ihre direkt in die Linse schauenden Gesichter.

Unser Schauen hat etwas Voyeuristisches. Hat Jakob so willig posiert, um schließlich bei einem Enkelsohn in den Niederlanden anzukommen, der ihn und seine Familie mit mattem Blick betrachtet? Wir blättern weiter und sehen, wie die Kinder größer werden; künftig werden sie einzeln verewigt.

Aron wird ein selbstbewusster Junge mit aufgewecktem Blick; er sieht so aus, als ob er voller Zuversicht in die Zukunft schaut. Onkel Miksa erzählt von Purim, dem jüdischen Karneval. An Purim darf man alles tun, grinst er. Er hat schon gemerkt, dass die jüdischen Traditionen nicht an mich weitergegeben wurden. Purim, erklärt er, leitet sich von dem persischen Wort »pur« ab, das »Los« bedeutet. Haman, Großwesir am Hof des Königs Ahasverus, zog ein Los, um den Tag zu bestimmen, an dem die Juden im persischen Königreich ausgerottet werden sollten. Aber die jüdische Königin Esther und ihr Minister Mordechai kamen ihm auf die Schliche. Ehe Haman und seine Söhne den Plan ausführen konnten, hingen sie am Galgen. Purim ist ein Fest, sagt Onkel Miksa, alle sind auf der Straße. Die Kinder laufen mit Ratschen herum und verfluchen Haman, die älteren verkleiden sich und tragen Masken. Es wimmelt von Esthers und Mordechais, von Harlekinen, Katzen, Bauernmädchen, Schornsteinfegern und Piraten. Es ist streng verboten, Wasser zu trinken. Vor den Gaststätten herrscht großes Gedränge, die Straßen sind von Gesang und Musik erfüllt, Männer in Kaftanen tanzen summend, und ihre Schläfenlocken tanzen mit, bis die Männer so betrunken sind, dass sie übereinander purzeln.

Aron hat sich bei Freunden eingehakt; über seiner Seeräubermaske flattern die Haare im Wind, als sie durch die Király utca wirbeln. Er hakt sich bei einer Reihe Mädchen mit bemalten Gesichtern unter, auf und ab springend nähern sie sich der nächsten Gaststätte.

Ad de-lo jadi, Onkel Miksa hebt ein imaginäres Glas zum Mund, zu Purim muss man so viel trinken, dass man nicht mehr weiß, ob man Haman oder Mordechai verflucht. Eines der Mädchen, das Gesicht voller rot-weißer Streifen wie bei einem Indianer auf Kriegspfad, ist Sárika. *Purim darf man alles tun, nach jontef stelt sach erois, wer e asponem war!* Zu Purim darf man alles tun, aber danach wissen wir, wer sich danebenbenommen hat.

Die Vergangenheit dringt zu mir durch wie eine tatsächlich existierende Welt, die uns überhaupt nicht braucht. Eine Welt, die sich selbst genügt. Alle tanzen und singen voller Zuversicht, dass Purim bis in alle Ewigkeit gefeiert, geduldet werden wird. Im Vergleich zu der lebendigen Welt voller Klänge und Bewegung, die Onkel Miksa heraufbeschwört, ist meine Welt eine Welt aus Wolken. Man glaubt, auf der wolligen, wattigen Masse bequem eindösen und seinen Träumen nachhängen zu können, doch man sinkt hindurch.

*

Diana redet nur noch von ihm, dem Studenten, der einen Namen bekommt. Stefan. Stolz, als sei es eine Leistung, als sei es ihre eigene Leistung, erzählt sie, dass er Physik und im Nebenfach Philosophie studiert. Sie erzählt von seinem Körper und wozu dieser im Stande sei; indem sie darüber spricht, kostet sie die Wonnen noch einmal aus. Ich glaube, ich bin neidisch auf die mir unbekannte Lust. Die Studienkollegin scheint unter dem Verlust ihres Liebsten zu leiden, ein Triumph, der Diana mit Zufriedenheit erfüllt und ihre erotischen Gefühle noch steigert. Ich kann die Geschichten über ihren Sieg nicht mehr hören; hat sie kein Mitleid? Verliebt sein macht sie grausam.

Die kleine Ungarin sollte doch meine Decke anmalen, hat er zu ihr gesagt, wann kommt sie? Ich habe längst vergessen, was ich unter der Einwirkung des billigen Weins versprochen habe. Er will es wirklich, sagt Diana, er bezahlt dafür.

Zum zweiten Mal gehe ich mit ihr zu ihm. Wieder ist da der seltsame, ausgedehnte Moment, in dem wir einander anschauen, ein winziges Loch in der Zeit. Helles Tageslicht scheint nun in sein Zimmer, alles sieht ärmlich aus in diesem Licht. Sogar Diana, die anscheinend bereits zur Einrichtung gehört, sieht fahl und welk aus. Die gemeinsamen Nächte zehren an ihr.

Die Vorstellung, in diesem banalen Raum ein Deckengemälde anzubringen, ist lächerlich. Ein Himmel oder von mir aus eine Hölle, hatte er an jenem Abend gesagt. Aber nun ist er sich sicher, dass es ein Himmel werden soll, ohne Amoretten oder Engel, ohne Dämonen oder Teufel. Ein Himmel ohne christliche oder mythologische Gestalten, einfach ein Firmament mit Wolken. Etwas Ätherisches, in dem sich seine Gedanken verlieren können, wenn er im Bett liegt. Als ob sein Bett im Himmel stünde und nicht im siebten Stock eines seelenlosen Studentenhochhauses. Er wird eine Leiter besorgen, Plastikplanen, um die Möbel abzudecken, Farbe und Pinsel. Die Pinsel kaufe ich lieber selbst, sage ich.

Über meinen Lohn brauche ich mir keine Sorgen zu machen. Seine Mutter bezahlt, sie schenkt es ihm zum Geburtstag.

*

Eine Woche nach Purim sitzen sie im Café Herzl bei Kaffee mit Schlagobers und Zimt. Kein Heiratsvermittler hatte die Hand im Spiel, obwohl es im Café von Gerüchte säenden, Paare verkuppelnden Schadchanim wimmelt, die von gottesfürchtigen

Eltern für eine gelungene Transaktion reich entlohnt werden.

Sárikas Vater ist enttäuscht und beleidigt, weil sich seine Tochter mir nichts, dir nichts verliebt hat. Seit Jahr und Tag war sie dem Sohn seines Freundes versprochen, einem armseligen Kärrner wie er selbst im Gozsdu udvar. Eine alte Freundschaft gerät in Gefahr. Außerdem kommt dieser Aron Rózsavölgyi aus einer liberalen Familie, die wahrscheinlich nicht einmal weiß, wie eine Synagoge von innen aussieht. Arons Eltern protestieren ebenfalls, der Form halber, lassen ihrem Sohn jedoch freie Wahl, auch wenn es um ein orthodoxes Mädchen aus einer Sippe von Habenichtsen geht.

Sie heiraten in der Synagoge, zwar nicht in der orthodoxen, sondern im Tabaktempel in der Dohány utca. Am Tag vor und am Tag nach der Hochzeit macht Sárika zum letzten Mal ein Zugeständnis an ihre Eltern. Sie nimmt ein rituelles Bad, um sich reinzuwaschen. Die nur von den Heiratslustigen selbst gewünschte Hochzeit lockt viele Schaulustige an. Rechts sitzen die Männer, links die Frauen, Freunde und Bekannte. Die Braut trägt ein Kleid aus cremefarbener Seide, das noch jahrelang in einer Truhe im Schlafzimmer aufbewahrt werden wird. Darüber eine blumenbestickte Weste, ein magyarisches Detail. Wie ein Feuer sah es aus, sagt Onkel Miksa, all das rote Haar, gelockt und hochgesteckt, ein Feuer, das durch den Schleier loderte. Das hat ihm sein Vater tausendmal erzählt.

Noch nach Jahren kramt seine Mutter Erinnerungen aus an die Zeremonie, den Chor, die Predigt *(ich gehöre meinem Bräutigam an, und mein Bräutigam gehört mir an)*, den Tausch der Ringe, das Zerschlagen von Geschirr *(denn unsere Freude kann nicht vollkommen sein seit der Zerstörung des Tempels in Jerusalem)*. Das Fest dauert die ganze Nacht. Zur Musik von Klezmorim wird ausgelassen getanzt; die männlichen Gäste tanzen abwechselnd mit der Braut, vom Rabbi bis zum ärmsten Straßenhändler vom Gozsdu udvar.

Was andere mit lebenslanger harter Arbeit nicht erreichen, gelang ihr von einem Tag auf den andern, sagt mein Vater, durch diese Heirat kletterte sie auf der gesellschaftlichen Leiter empor, ließ sogar ein paar Sprossen aus.

Onkel Miksa überhört diese Bemerkung. Über die Toten nur Gutes, das ist Onkel Miksa, nur Gutes über die, die vor ihrer Zeit sterben mussten.

*

Jeden Samstag arbeite ich an seinem Himmel. Stefan liegt träge im Bett, raucht und schaut zu, wie sich die Luft zunehmend bewölkt. Die Musik, die er aufgelegt hat, geht eine seltsame Wechselbeziehung mit den verschiedenen Kumulusformen ein, die über meiner Hand entstehen. Bei Mahler werden sie dunkler, drohender, bei Bach schwebt mein Pinsel zu dem transparenten Blau zwischen den Wolken und arbeitet daran weiter. Ein Cellokonzert von Boccherini bewirkt sogar eine zaghafte Reflexion von Sonnenlicht, sodass eine Dimension hinzukommt, die Wärme, Geborgenheit suggeriert.

Meinem Vater ist es gelungen, sage ich, dieses beschwingte Konzert so zu spielen, dass man eine diffuse Traurigkeit empfindet. Es ist die düstere Vibration seiner Seele, die man hört, ob man will oder nicht. Er stöhnt beim Spielen, als ob tief im Cello, in seinem Körper, ein hartnäckiger Schmerz nagt. Ich glaube, er kann sich nur über das Cello ausdrücken, sobald er das Instrument wegstellt, schweigt er wieder. Manchmal, sage ich und schaue Stefan beim Malen grinsend an, ist es fast nicht zum Aushalten, einen Vater zu haben, der nur über sein Cello mit einem reden kann.

Danach halte ich den Mund. Es ist schwierig, über meinem Kopf die Konturen eines guten Kumulus zu ziehen, wenn ich von meinem Vater spreche.

Du hast wenigstens einen Vater, höre ich Stefans Stimme von unten; als ich geboren wurde, war mein Vater schon tot.

Von diesem unverdienten Vorwurf geht eine seltsame Drohung aus. Meine Intuition sagt mir, dass ich mich nicht darauf einlassen will. In ungezwungenem Ton frage ich, ob er einen Vogel an seinem Himmel haben möchte, einen Vogel, der von Wolke zu Wolke fliegt. Eine Taube, einen Storch, einen Raben oder einen Adler?

Das ist ihm zu symbolisch. Was man auch in den Himmel malt, eine Taube, einen Raben, einen Adler, einen Storch, es bekäme zu viel Bedeutung so zwischen den Wolken, es würde die Gedanken in eine unerwünschte Richtung lenken.

Eine unerwünschte Richtung, sage ich erstaunt.

Angenommen, ein Adler würde durch die Luft segeln, ich hätte keine ruhige Nacht mehr, behauptet er.

Ich höre auf zu malen und schaue nach unten. Was ist so schlimm an einem Adler?

Moffenbastard, sagt er. Ich würde mit dem Wort einschlafen und aufstehen, es würde in meinen Träumen nachhallen, es würde mich verfolgen. Sogar wenn ich nach draußen ginge, stünde es mir wieder auf der Stirn geschrieben.

Einfach weitermachen mit meiner Wolke kann ich nicht mehr. Ich setze mich auf den obersten Tritt der Leiter. Wie ist dein Vater gestorben, frage ich.

In russischer Kriegsgefangenschaft, kurz nach dem Krieg.

Stefan liegt da, raucht in aller Ruhe, wie sonst. Man merkt ihm nichts an, er könnte auch über den neuesten Kinofilm sprechen. Von Anfang an habe ich gespürt, dass etwas mit ihm war, durch das er sich von allen anderen unterschied. Ich verstehe die politische und moralische Tragweite dessen, was er sagt, ich kenne die gängige Meinung darüber in dem Land, in dem wir leben, in diesem Abschnitt des zwanzigsten Jahrhunderts. Trotzdem hat das nichts mit ihm und mir zu tun, wie ich hier auf der Leiter sitze, wie er dort im Bett liegt.

Hat deine Mutter ihn geliebt?

Er bläst Rauch aus. Sie sagt, ja, so, wie man im Krieg jemanden lieben kann. Gefühle sind im Krieg heftiger, sagt sie, weil der Tod jeden Augenblick das Ende von allem bedeuten kann. Nicht dass man den Unterschied zwischen Freund und Feind aus den Augen verliert, aber im Wertsystem können sich Normen verschieben. Mach ruhig weiter, das ist alles so lange her, was tut es heute noch zur Sache.

Offenbar viel, sage ich und tauche den Pinsel in die Farbe, solange ich nicht einfach einen Adler an deine Decke malen darf.

Er hat Kaffee gemacht. Ich sitze auf der Leiter und nippe an dem Becher, den er mir nach oben gereicht hat. Er fragt, ob es Auswirkungen auf mich hat, so einen Vater zu haben, ob es mein Leben durcheinander gebracht hat. Ja, nicke ich überrascht. Obwohl ich mir diese Frage nie so offen gestellt habe, ist es wahr, dass die Schwermut meines schweigsamen, in sich gekehrten Vaters großen Einfluss hatte auf die Luft, die ich, die meine Mutter einatmete.

Ob ich an Freiheit glaube, fragt er, an die Möglichkeit, sich durch reine Willenskraft seinem Schicksal zu entziehen.

Ich schaue ihn verdutzt an. Noch nie hat mir jemand so eine Frage gestellt. Eine Frage, die wie ein Ball hoch in die Luft geworfen wird und, statt auf die Erde zurückzufallen, dort oben hängen bleibt, kreiselt; die Punkte auf dem Ball werden zu Streifen. Je länger man darauf schaut, desto weniger glaubt man zu wissen. Man bekommt das Gefühl, dass der Ball einen auch ansieht, spöttisch, herausfordernd. Die Hände, die man ausgestreckt hatte, um ihn aufzufangen, fallen schlaff am Körper herab.

Wenn es nur so wäre, sage ich leise, zweifelnd, ich habe das Gefühl, dass die Dinge mir einfach zustoßen. Ich will, ich will, sagte meine Mutter früher, wenn ich etwas wollte, du hast nichts zu wollen, es heißt: Darf ich? Glaubst du etwa, ich könnte tun, was ich will?

Aber das ist purer Fatalismus, sagt er entrüstet, du darfst dich nicht mit allem abfinden.

Ich zucke mit den Schultern. Es kostet mich viel Mühe, etwas zu wollen und durchzusetzen, sage ich, man hat mich dazu nie ermutigt.

Stefan sitzt auf der Bettkante und schüttelt den Kopf. Newton, sagt er, führte das, was auf der Erde geschieht, auf Ursache und Wirkung zurück und glaubte, darum sei alles seit Anbeginn im Prinzip vorhersagbar. Darum hätten wir auch keinen freien Willen. Schopenhauer ging noch weiter. Was wir wollen, wird von unseren Motiven bestimmt, behauptet er. Wenn wir schwanken, gewinnt das stärkste Motiv. Welches der Motive den Ausschlag gibt, hängt von unserem Charakter und den Umständen ab. Nicht sehr aufmunternd, findest du nicht, grinst er.

Ich starre ihn an. Noch nie habe ich mir solche Gedanken gemacht. Diese Art zu denken hat etwas Verlockendes, Befreiendes, als ob man über sich selbst schweben und das ganze Dasein überblicken könnte. Als ob der kreiselnde Ball plötzlich herabfiele, direkt in die ausgestreckten Hände. Alles wird übersichtlich, in trügerischer Weise übersichtlich.

Da sagt mir Sartre mehr, fährt er fort, was hältst du von Sartre?

Ich werde rot. Äh, ich habe fürs Abitur *Die*

Mauer gelesen, stammle ich, und ich habe ein Theaterstück von ihm gesehen, ich weiß nicht mehr, wie es hieß.

Sartre plädiert für das Gegenteil, sagt er. Wir sind zur Freiheit verurteilt. Wir sind intelligente und schöpferische Wesen, wir können uns selbst erschaffen und verwandeln. Das Einzige, was wir dazu brauchen, ist eine bewusste Entscheidung. Wer ängstlich ist oder faul oder fatalistisch, versinkt ohne es zu merken im Nichts, *la nausée*. So jemand kommt langsam um, ohne zu sterben.

Ich schaue auf die Tropfkerzen, die noch immer auf dem Tisch stehen. Oder sind es schon wieder neue? Sartre ist modern. Brauche ich Stefans Begeisterung deshalb nicht ernst zu nehmen? Warum trägt er keine schwarzen Sachen?

Newton ist nach Jahrhunderten vom Podest gestürzt worden, schließt er. In der Quantenphysik hat man entdeckt, dass es unmöglich ist, Kenntnisse über das Hier und Jetzt zu besitzen, die ausreichen, um Vorhersagen treffen zu können. Das Einzige, worüber man etwas aussagen kann, ist die Wahrscheinlichkeit. Gewissheit gibt es nicht. Schlimmer noch: Was man erforschen will, ändert beim Erforschen sein Verhalten. Verstehst du, was das bedeutet? Wir haben Einfluss auf die Materie. Stell dir das mal vor! Kommt das nicht Sartres Auffassung sehr nahe?

Er schaut mich zufrieden an.

Ich nicke, damit er nicht zu weiteren Erklärungen ansetzt. Er redet über Newton, Schopenhauer, Sartre, als seien es seine Kneipenfreunde. Ich habe keine Argumente, um ihn zu widerlegen.

Wenn er aus seinem Fenster im siebten Stock fällt, welchen Einfluss hat er dann auf die Materie? Kann er durch eine bewusste Entscheidung verhindern, dass er zu Tode stürzt?

Ich will mit dem Himmel weitermachen.

Ich muss darüber nachdenken, sage ich und beuge mich hinab, um ihm den Becher zu reichen.

*

Pest ist die Ebene, das Flachland, der Fortschritt, Handel, Bauaktivitäten. Buda ein steil aus der Donau aufragender Fels, die Römer, sieben magyarische Stämme, der älteste jüdische Grabstein (Rav Pesah, Sohn von Rav Péter), die Türken, die Habsburger.

Onkel Miksa erklärt uns Budapest. Es nimmt ihn sehr mit, aus so großer Entfernung von seiner Geburtsstadt zu reden. Vielleicht hat er eine Vorahnung, dass er sie nicht wieder sehen wird. Auf den Hügeln von Buda wohnen die Wohlhabenden. Man kann sich nicht mehr wünschen als eine Villa mit einem großen Garten auf den Hügeln von

Buda, die Wälder, in denen man spazieren gehen kann, saubere Luft.

Sárika muss eine Bestellung ausliefern. Es ist ein langer Weg vom Gozsdu udvar, mit einer Tasche voller Gemüse und Obst auf dem Rücken, hat sie ihren Kindern später erzählt. Sie hat gern davon erzählt, sagt Onkel Miksa, damit die Kinder verstehen sollten, was mit ihr an jenem Tag im August geschah.

Über die unlängst fertig gestellte Erzsébetbrücke läuft sie nach Buda, den Fels hinauf, und über Tabán in das Gebiet hinter dem Schlossberg. Es ist einer jener heißen Tage, die Budapest im Sommer flirren lassen. Sie ist auf dem Weg zum Haus eines durch den Handel mit Tabak und Getreide reich gewordenen jüdischen Kaufmanns. Vasen aus Naturstein stehen ohne zu schwanken auf der Dachkante, hat man ihr erzählt.

Als sie in die Straße einbiegt, spürt sie eine Veränderung in sich; ehe sie bewusst etwas hört, richtet sich konzentrierte Aufmerksamkeit in ihr auf wie eine Kobra vor einem Flötenspieler. Eine Kette von Klängen kommt ihr entgegen, Musik, die auf und ab wogt, als folge sie der Bewegung eines Wanderers in den Hügeln von Buda. Was ist das für ein Instrument, woher kommt dieser warme Bass in den tieferen, dieser Alt in den höheren Tonlagen? Es erinnert an das Gordonka der Zigeuner, das Gardon der Bauern. Es ist dasselbe, es ist nicht dasselbe.

Die Musik kommt aus dem Garten des Hauses, wo sie ihre Bestellung abliefern muss. Im Schatten der hohen Bäume sitzt eine elegante Gesellschaft andächtig vor einem Musiker, der für das Mädchen ein Musikant ist; den subtilen Unterschied kennt es noch nicht. Sie darf sich auf die Steintreppe zur Küche setzen und mithören. Sie fragt, was das für Musik sei. Die Haushälterin ist so freundlich, für sie zu fragen. Die zweite Cellosuite von Bach. Sie prägt es sich ein, um es nie mehr zu vergessen, die zweite Cellosuite von Bach. Die Müdigkeit der Wanderung fällt von ihr ab, sie ist aufgeregt, weil es Musik gibt, die eine Illusion der Unendlichkeit heraufbeschwört, eine zärtliche Berührung der Seele, die nie mehr aufhört.

Es ist, als hätte sie ihr Leben bisher verschlafen und wache nun plötzlich auf. Als sähe sie mit neuer Schärfe und Klarheit die vielen Richtungen, in die sich ihr Leben entwickeln kann, den Reichtum an Formen, die es annehmen kann, das Ausschütten eines Sacks mit glänzenden Münzen, die überallhin rollen. Sie ist dreizehn und entdeckt den Willen. Während sie auf der Küchentreppe sitzt, entdeckt sie dieses kraftvolle Werkzeug, das tief in ihr schlummert und auf den Augenblick wartet, in dem es gebraucht wird. An diesem Tag, sagt sie ihren Kindern später, wenn sie ihnen vorwirft, nicht beharrlich genug zu sein, an diesem Tag habe ich drei Dinge beschlossen. Irgendwann werde ich so ein Instrument spielen. Ich werde in einem Haus mit Vasen obendrauf und mit einem großen, schattigen Garten wohnen, in den ich Musikanten einlade. Seidene, spitzenbesetzte Kleider werde ich tragen und Hüte mit Blumen oder Federn.

Nichts deutet darauf hin, dass sie ihre Absichten in die Tat umsetzen kann. Sie wohnt noch immer in der Dob utca, in einem schmuddeligen Hinterhof, wo es nach Nässe, Essen und Wäsche riecht. Mit einer Tasche voller Gemüse hat sie den Fluss überquert, die verschwitzte Bluse klebt ihr am Körper. Sie ist hierher gekommen, um zu entdecken, dass sie sich eine andere Welt erschaffen kann; den Leuten auf dieser Seite des Flusses ist es auch gelungen. Jahwe kann doch nicht so ungerecht sein zu dulden, dass jemand sein ganzes Leben in feuchten, sonnenlosen Stuben auf der einen Seite der Donau fristet, während auf der anderen Seite ein paar Begünstigte himmlische Musik genießen?

Nun, es ist ihr gelungen, sagt mein Vater.

Nicht ganz, korrigiert Onkel Miksa, es war natürlich kein Geld da für ein Cello oder für Musikunterricht, als sie noch jung genug dafür war.

Für diesen Mangel hat sie sich mehr als gerächt.

Onkel Miksa lacht: Du bist ein undankbarer Kerl. Er lacht, obwohl er derjenige ist, der sterben wird.

Mein Vater lacht nicht, obwohl er am Leben bleibt.

*

Stefan sagt, ich müsse Distanz gewinnen zu meinem Werk. Ich solle mich neben ihn legen, um die Wirkung zu beurteilen. Das Oberhemd mit den Farbflecken ziehe ich aus, im T-Shirt lege ich mich auf Dianas Platz. Ich betrachte den halb fertigen Himmel, der nun anders wirkt als von der Leiter aus. Ein paar Mängel fallen mir auf, Dinge, die ich ändern muss. Ich spüre seine Hand. Alles in mir kommt zum Stillstand. Mein Blut hört zu strömen auf, meine Muskeln spannen sich, mir stockt der Atem. Mein Körper und ich sind erwartungsvoll, wir können uns nicht verteidigen, wir wissen nicht mal, ob wir wollen oder nicht. Die Musik ist verstummt, es ist ungewöhnlich still im Zimmer unter dem im Entstehen begriffenen Himmel. Wir schauen einander an.

Ich sehe Zeichen von heraufziehendem Unheil, von Zärtlichkeit, in seinen Augen liegt vieles, das man erraten muss. Seine Hand bewegt sich über meinen Bauch. Der Mann, der seine Hand über meinen Bauch bewegt, verschmilzt mit allen anderen Männern, wie ich sie kenne und nicht kenne. Er wird zu einem Fremden, von dem ich nichts weiß. Er legt mir den Finger auf die Lippen. Der Finger fährt über den Bogen meiner Nase, die Augenlider, die Brauen. Sein Blick ist ungläubig, der Mund etwas geöffnet, als studiere er mein Gesicht mit tiefer Konzentration. Er zieht mir das Gummiband aus dem Haar, er macht mir den Zopf auf. Alle anderen Männer, wie ich sie kenne und nicht kenne, machen mir den Zopf auf und seufzen. Warum seufzen sie? Ist es die Farbe, die ihnen nicht gefällt? Ich bin dabei, mich zu verlieren. So muss der erste freie Fall mit einem Fallschirm sein; man springt mit geschlossenen Augen und schwebt hinab, die Luft nimmt einen auf, es ist, als ginge man eine feste Beziehung mit der Luft ein, die einen umgibt und in einen eindringt; man wird ein Vogel, der träumt, er sei ein Mensch. Aber der Fall ist unaufhaltsam, dem Leben, dem Tod, der Erde entgegen.

Tu es, sage ich. Sage ich es laut, oder spreche ich es in Gedanken aus? Ich will ihn, diesen ersten freien Fall, hier, jetzt, dies ist der Punkt in meinem Leben, an dem alles zusammenkommt, um es zu wollen.

Aber er zieht die Hand zurück und dreht sich

von der Seite auf den Rücken. Der Augenblick ist vorbei. Warum mit Diana, mit der Studienkollegin, aber nicht mit mir?

Irgendwo in Deutschland muss ich Verwandte haben, sagt er, Onkel, Tanten, Großeltern vielleicht, aber wo soll man suchen? Und wenn ich sie kennen lerne? Ich habe Angst vor einer Enttäuschung, stell dir vor, sie sind sehr deutsch.

Seine Stimme hat einen vertrauten Klang. Die Vertrautheit, die meine Nähe bei ihm erweckt, verlagert er auf seine unbekannten Familienangehörigen; was gehen mich seine Onkel und Tanten in Deutschland an, die Gedanken an sie interessieren mich nicht, die Vertrautheit, die meine Nähe bei ihm erweckt, steht mir zu.

Als läge ich nicht, alle Poren geöffnet, neben ihm, phantasiert er unbeirrt weiter über die Möglichkeit von deutschen Verwandten. Er hat die Hand zurückgezogen. Der Augenblick ist vorbei.

*

Es ist schwer, nicht zynisch zu werden, sinniert Onkel Miksa, das Leben gibt genug Anlass dazu. Es scheint eine einfache Lösung zu sein, alles und jeden zu verurteilen, aber im Grunde ist der Zyniker von sich selbst enttäuscht. Setz alles daran zu verhindern, dass du einer wirst.

Dieser Rat ist an mich gerichtet, aber für seinen Bruder bestimmt.

Der Knoblauch ist schuld daran, lacht Onkel Miksa, dass Mutter so einen unverkennbaren Charakter hatte. Wenn man zu viel davon nimmt, dominiert Knoblauch ein Gericht.

Sie hat über die Familie geherrscht wie ein General, sagt mein Vater.

Sein Bruder redet versöhnlich darüber hinweg. Sie wollte ihre Träume verwirklichen, sie dachte, dafür brauche man einen starken Willen. Und sie hat ihr Haus bekommen, das musst du zugeben, zwar nicht in den Hügeln von Buda, aber in Lipótváros. Ein respektables Haus mit einem Balkon über die gesamte Front und Skulpturen zu beiden Seiten des Eingangs, mit saalgroßen Zimmern, in denen musiziert werden konnte; solche Häuser werden nicht mehr gebaut, es gibt keine Fachleute mehr, die das können.

Mir wäre lieber, wenn Onkel Miksa mein Vater wäre, weil er den General verteidigt und ihm einen starken Willen zuschreibt. Im Fotoalbum sind auch Einzelaufnahmen der Familienmitglieder. Meine Großmutter mit einer Perlenschnur um den Hals statt einer Kette aus Knoblauch. Sie ist noch so blass wie auf dem Aquarell, aber fülliger, selbstbewusster. Sie lächelt zufrieden, ein wenig selbstgefällig vielleicht, wenn man das Bild mit den Augen meines Vaters betrachtet. Weiß sie nicht, dass sie verwundbar ist? Man möchte sie warnen. Ein offizielles Porträt meines Großvaters, eine Uhrenkette wie eine Weihnachtsgirlande, eine Hand in der Tasche des Jacketts, die andere auf einem Katheder. Das Foto wurde anlässlich seiner Ernennung zum Professor aufgenommen, erinnert sich mein Onkel.

Danach hat er sich überhaupt nicht mehr um uns gekümmert, höre ich meinen Vater mit seiner sonoren Stimme sagen. Er schaute nicht mehr von seiner Arbeit auf und überließ alles ihr, sodass sie eine krittelige, herrschsüchtige Mutter wurde, der nichts entging. Und wenn er sich einmal von seiner Arbeit ausruhte, verdrückte er sich, um im Széchenyi-Bad oder im Stadtpark Schach zu spielen.

Er war nun mal ein Stubengelehrter, ein begabter Historiker. Onkel Miksa lässt nicht nach, seine Eltern gegen die Verbitterung seines Bruders zu verteidigen.

Ein Waschlappen war er, ihr gegenüber.

Mein Vater, der immer so still ist, sagt, als er schließlich das Wort ergreift, schreckliche Dinge.

Und so begabt war er nun auch wieder nicht. Wie er in seinen Artikeln mit Feuer und Schwert den Zionismus von Theodor Herzl bekämpfte! Zuerst sind wir Magyaren, war sein Credo, erst dann sind wir Juden. Was bedeutet das Jüdischsein? Nichts. Der eine ist Pole, der andere Deutscher, wieder ein anderer kommt aus Transsylvanien, aber wir alle sind Ungarn. Wir leben jetzt hier, wir sind Ungarn. Wenn die Pfeilkreuzler die gleiche Meinung vertreten hätten, würde er heute noch leben. Nein, einen vorausschauenden Blick hatte unser begabter Vater nicht. Als respektierter und einflussreicher Historiker wusste er nicht einmal, dass die Geschichte dazu neigt, sich zu wiederholen.

Ich verstehe nur halb, was mein Vater sagt. Die Pfeilkreuzler kenne ich, die haben meine Großeltern und meine Tante umgebracht, aber von Theodor Herzl habe ich noch nie gehört.

*

Er hat auch wieder mit ihr geschlafen, sagt Diana. Plötzlich fällt mir der Name der Studienkollegin wieder ein. Merie, mit einem e, wo man ein a erwarten würde. Diana raucht eine Zigarette nach der anderen; in meinem Schlafzimmer hängt ein Rauchschleier. Ich ziehe eine Zigarette aus ihrer Schachtel und stecke sie mir an.

Was machst du da, protestiert sie, du hast doch noch nie geraucht!

Aber jetzt rauche ich, sage ich, einmal muss ja das erste Mal sein.

Noch eineinhalb Wochen, dann ist sein Himmel fertig, und er kann ihn so lange anschauen, wie er will. Ich werde das Geld in Empfang nehmen und nie mehr zurückkommen. Diese Aussicht gibt mir ein Gefühl der Erleichterung und die Vorahnung eines Verlustes. Eine mir fremde Notwendigkeit hat sich ergeben, die mein Körper gegenüber dem seinen verspürt. Eine neue Unfreiheit hat sich zu den Unfreiheiten gesellt, die ich bereits kenne.

Unter mir glänzen seine Augen, während ich letzte Hand an den Himmel lege. Warum strahlt er ein so tiefes Wohlbehagen aus? Weil er sie beide hat, stets aufs Neue, wann er nur will? Trotzdem würde ich, wäre ich nicht die, die ich bin, von der Leiter steigen und mich neben ihn legen. Wäre ich nicht die, die ich bin, würde ich selbst meine Hand auf Erkundung ausschicken. Während ich beherrscht eine neue Fläche ausmale, erkenne ich, welche atemberaubenden Möglichkeiten die Freiheit bietet, die man hat, sobald man aufhören kann, der zu sein, der man ist. Es einfach zu wollen ist nicht genug, es scheint ein anderes Hindernis zu geben, das ich nicht erklären kann.

Ich hatte vor, einen Strahl Sonnenlicht durch seine Wolken fallen zu lassen. Ich verzichte darauf, ich gönne ihm das Sonnenlicht nicht. Ohne Sonnenlicht bin ich viel eher fertig.

Seine Stimme klingt von unten herauf. Ich bin verliebt, Kata, zum ersten Mal bin ich richtig verliebt. Mein Pinsel stockt einen Moment, dann streicht er ruhig weiter, eine ganze Fläche muss mit einem transparenten Grau gefüllt werden, beherrscht und wohl überlegt, ohne dass es streifig wird. Wieder höre ich die Geräusche der Nacht, spüre die Bewegungen, bin in einem Kokon von Unmöglichkeiten gefangen. Was habe ich mit seinen Verliebtheiten zu tun, die Teilnahme an seinen Gefühlen, die er mir aufdrängt, weckt meinen Widerwillen.

Es klopft an der Tür.

Meine Mutter! Er flüstert, als seien wir Verschwörer. Was soll ich tun, frage ich. Einfach weitermachen, gestikuliert er; sie kommt, um sich ihr Geburtstagsgeschenk anzuschauen, ich habe sie eingeladen.

Ich denke nicht gern an das Schicksal, das in einem beliebigen Augenblick dem Leben eine andere, eine verhängnisvolle Wende geben kann. Eine Bewegung, die aus dem Nichts erscheint, eine Verwerfung in der Ordnung der Dinge. Getarnt als etwas Harmloses, Alltägliches.

Ob er an das Schicksal glaubt?

Das Schicksal ist Furcht erregend, es lässt sich nicht beeinflussen. Man will verreisen und ist gerade im Begriff aufzubrechen. In diesem Augenblick ruft eine Freundin an und erzählt, sie sei im Examen durchgefallen. Weil man sich die Zeit für ein paar aufmunternde Worte nimmt, verpasst man den Zug und nimmt den nächsten, und in dem begegnet man dem Mann seines Lebens, der einen unglücklich machen wird, weil er trinkt, da er als Kind geschlagen wurde von seiner Mutter, die von ihrem Mann misshandelt wurde, der... Das Schicksal ist eine kleine Ursache mit großen Wirkungen.

Ich stehe auf der Leiter, und das Schicksal kommt herein. Mein Schicksal, das meines Vaters, meiner Mutter. Es tritt ein, schaut zur Decke hoch und ruft exaltiert: Ach, wie wunderbar! Das Schicksal hat hellblonde Locken und blaue Augen, man sieht ihm nichts an. Es trägt einen Nerzmantel, die Demonstrationen der Tierschützer kommen erst später. Es schlägt die Hände zusammen, als es einen so wunderbaren Himmel an der Decke im Zimmer des Sohnes sieht. Der verhält sich eher reserviert, mehr noch, er ist auf der Hut. In der Nähe des Schicksals, das auch das seine ist, verändert sich der Sohn.

Die Höflichkeit gebietet, dass ich von der Leiter steige und ihr, da meine Hände voller Farbe sind, das rechte Handgelenk entgegenstrecke. Kata, sage ich, Kata Rózsavölgyi. Die Frau lässt mein Handgelenk nicht los. Eine Unendlichkeit lang blickt sie mich an. Das Hereinwirbeln des Schicksals und dann diese unbehagliche Stille.

Leg ab, sagt der Sohn.

Dieser Name, die Mutter findet ihre Stimme wieder, du hast denselben unaussprechlichen Namen. Erneut diese Stille.

Wie wer? Der Sohn zeigt eine leichte Ungeduld.

Wie mein Verfolgter. Mein Verfolgter, sagt sie, als sei der Mann ihr Eigentum gewesen. Mir ist noch nicht bewusst, dass sie mit diesen zwei Wörtern alles verrät.

Meine Mutter hatte einen Juden in ihrer Wohnung versteckt, im Krieg, erklärt der Sohn mit kraftloser Stimme.

Jenö, sagt die Mutter, und dann dieser unmögliche Nachname. Im Blau ihrer Augen verengen sich die Pupillen, während ihre Gedanken in die Vergangenheit schweifen. Sie bekommt Augen wie Eis. Andersens Schneekönigin, die Kais Herz gefrieren ließ.

Mein Vater heißt auch Jenö, sage ich.

*

Eigentlich war er ein Schachspieler, sagt Onkel Miksa. Die Geschichte war sein Fachgebiet, aber das Schachspiel seine Leidenschaft. Eröffnungen, Mittelspiel, Endspiel nahmen drei Fächer in seinem Bücherschrank ein.

So hatte er immer eine Entschuldigung, erinnert sich mein Vater. Revanche, rief er dann halb ironisch, halb ernst, der und der schuldet mir noch Revanche. Und fort war er, ließ uns bei ihr zurück.

Onkel Miksa erklärt mir seinen Vater, damit die Erinnerung an seine Eltern nicht in dem verzeichneten Bild seines Bruders in mir weiterlebt. Im Városliget hat er draußen in der Sonne Schach gespielt oder zugeschaut, wobei es ihm schwer fiel, seine Kommentare für sich zu behalten. Er fiel seinen Gegnern auf die Nerven, indem er wegging, wenn sie am Zug waren. Wenn sie endlich lange genug nachgedacht hatten, setzte er sich auf die Ecke des Steintisches und verschob seine Figur mit aufreizender Lässigkeit. Schach spielen war für ihn ein sportlicher Nervenkrieg.

Durftest du denn mitkommen, weil du dich an alles so genau erinnerst? Ist mein Vater neidisch?

Du mochtest Schachspielen nicht, antwortet Onkel Miksa und wird schon wieder von Bildern weggeführt. Wie ein alter Mann, der nur noch in der Vergangenheit lebt, lässt mein Onkel, der erst neununddreißig ist, sich von den Bildern seiner Kindheit wegführen. Im Winter spielen sie in den

Schwaden des Széchény Fürdö Schach, bis zur Taille im warmen Wasser aus unterirdischen Quellen. Junge und alte Männer, mit und ohne Brusthaar, schmalen Hüften, dicken Bäuchen, Männer mit Bärten, Kahlköpfige. Das stille Ballett ihrer Bewegungen. Einen Finger an der Wange, eine Hand, die tatenlos über der Königin schwebt, jemand schlägt sich mit der flachen Hand vor die Stirn wegen eines Zuges, der nicht wieder gutzumachen ist, ein anderer notiert jeden Zug. Die sonderbare Stille um die Schachspieler, die unergründlichen Strukturen und Muster, die sich in ihren Gehirnen bilden. Es ist, als sähe man im Dampf rings um die Köpfe all ihre Überlegungen – den Zug, der den Gegner endgültig vernichten wird, die Züge, die verworfen werden.

*

Er muss es sein, beschließt die Mutter, was ist aus ihm geworden? Wie erkläre ich, während sie mein Handgelenk mit eisernem Griff festhält, was aus meinem Vater geworden ist? Er ist Cellist im Brabanter Orchester ... Ich zögere. Soll ich vor ihr, einer Wildfremden, über seine chronische Schwermut sprechen, seine Verbitterung, die sich auf die Welt bezieht, aber unbeabsichtigt – in der Form vorwurfsvollen Schweigens – seine Familie trifft?

Über meine Mutter, die zu viel isst und nascht, mangelnde Zuwendung in Fett umsetzt?

Er redet nie über die Zeit, in der er untertauchen und sich verstecken musste, sage ich.

Sie lässt mein Handgelenk los. Du bist also seine Tochter, konstatiert sie. Ich fühle mich nackt unter ihrem kühlenden, forschenden Blick, nicht mehr in mir zu Hause. Etwas an mir ist offenbar nicht in Ordnung, ich sehe den indiskreten, hungrigen, tadelnden Blick und weiß, es gibt kein Entrinnen.

Ihr Vater ist…? Stefan braucht noch Zeit, um es zu begreifen. Verblüfft schaut er von seiner Mutter zu mir und wieder zurück, als gäbe es etwas, was uns verbindet. Doch da ist nichts zwischen ihr und mir, außer einer instinktiven Abneigung auf beiden Seiten.

Also dieser undankbare Kerl, der nie mehr etwas von sich hören ließ, ist dein Vater? Der Sohn liebt es, die Dinge beim Namen zu nennen.

Das habe ich so nie gesagt, beschwichtigt die Mutter.

Es sind deine eigenen Worte, von wem sollte ich es sonst gehört haben? Er lächelt mich an, um seine Aufrichtigkeit und den plötzlich eintretenden Ernst zu mildern.

Am Tag der Befreiung hat er meine Wohnung verlassen, gesteht die Mutter ein; ohne ein Wort ist er gegangen, mit unbekanntem Ziel.

Und das, obwohl du ihm das Leben gerettet hast, ergänzt der Sohn lakonisch.

Ich, ich werde ihn nach dem Grund fragen, stammle ich. Lieber beiße ich mir die Zunge ab, als dass ich in Gegenwart meines Vaters vom Krieg anfange. Seit ich mich entsinne, ist der Krieg tabu, abgesehen von der Zeit nach dem Aufstand, als Onkel Miksa kam.

Die Mutter trinkt Kaffee und sitzt in dem Sessel, den der Sohn sonst für sich beansprucht. Zum Glück habe ich den Himmel. Ich gebe mir alle Mühe, eine Illusion von Bewegung in die Wolken zu bringen, denn Wolken stehen nicht still. Flüchtig und transparent wie die Wolke, die ich male, so fühle ich mich. Die Geschichte aller, die ich kenne, bewegt sich durch mich hindurch, ohne dass ich ein Teil davon bin. Ich wäre gern endlich einmal wie jemand, der existiert, der gehört, wahrgenommen und begehrt wird, der mitzureden hat bei dem, was geschieht.

Das Zimmer füllt sich mit dem Klang eines klagenden, eines anklagenden Cellos. Ein Gefühl für Timing kann man dem Sohn nicht absprechen. Es ist kein schmerzhafterer Moment denkbar für diese melancholische Komposition. Eine der seltenen Äußerungen meines Vaters über den Krieg fällt mir ein: Nach dem Krieg musste ich noch mal ganz neu zu spielen lernen.

Mitten im Konzert verabschiedet sich die Mutter. Grüß deinen Vater, ruft sie zu mir hinauf, sag ihm, dass ich oft an ihn gedacht habe.

*

Was ist die Wahrheit? Diese Frage drängt sich auf, da Onkel Miksas Erinnerungen und die meines Vaters einander widersprechen.

Betreibt Onkel Miksa Schönfärberei, oder stellt mein Vater ihre gemeinsame Kindheit schlimmer dar, als sie tatsächlich war? Wenn beide dieselbe Wirklichkeit so unterschiedlich erlebt haben, wo ist dann die Wahrheit? Ich will die Wahrheit wissen.

Zu seinem achten Geburtstag bekommt mein Vater ein Cello. Vorher hatte er eine Kindergeige, die Grundlagen kennt er bereits. Nie hat er sich eine Geige oder ein Cello gewünscht. Seine Mutter hat ihn, als Erstgeborenen, auserwählt, der Musiker zu werden, von dem sie träumte, als sie auf einer Küchentreppe in den Hügeln von Buda zum ersten Mal die Klänge eines Cellos hörte. Leider ist er musikalisch. Sein Lehrer, der direkt neben der Franz-Liszt-Musikakademie wohnt, schont ihn nicht, seit er das Talent des Jungen entdeckt hat. Die Erziehungsmethoden im alten Europa grenzen manchmal an Sadismus oder gehen unbemerkt in Sadismus über. Nach der Schule muss er jeden Tag mindestens zwei Stunden zu Hause üben. Seine Mutter ist die Gefängniswärterin. An der Hauswand klettert das Lachen und Schreien von Miksa herauf, der draußen mit seinen Freunden spielt. Später wirst du mir dankbar sein.

Darin hat sie Recht bekommen, sagt Onkel Miksa, du verdienst doch deinen Lebensunterhalt damit.

Ich bin nicht der großartige Cellist geworden, von dem sie geträumt hat, ich hätte auch etwas anderes werden können.

Dann hättest du Ungarn damals nicht so leicht verlassen können. Musik ist international, die Musik hat dir das Leben gerettet.

Sie ereiferte sich, wenn nur ein kurzer Moment ihrer Aufmerksamkeit entging, sie behielt mich im Auge, wo ich auch war. Ich durfte nicht auf die Straße, ich durfte keinen Sport treiben. Deine Hände, Jenö, stell dir vor, mit deinen Fingern passiert was.

Du warst ihr hübscher Junge, lacht mein Onkel, ihr Stolz, ihr Augenstern.

Ich war ihre Schöpfung, ihr Besitz. Die Luft, die ich einatmete, gehörte ihr.

Wir hatten Respekt vor dir, Verónika und ich, wir beneideten dich wegen deiner Sonderstellung in der Familie. Dir war etwas Großes beschieden. Als du die Musikakademie besucht hast, wurdest du unantastbar, du warst jemand von einem anderen Stern.

Ach, Zeneakadémia, seufzt mein Vater, Liszt, der von seinem Thronsessel auf einen herabblickt, wenn man das Gebäude betritt. Ein Tempel, in dem der Kult der Musik zelebriert wird. Schon in der Eingangshalle umgeben einen Wände und Säulen aus schwarzem Marmor mit Gold, es ist ein Sarkophag für den Musikstudenten. Man geht die Treppe zum ersten Stock hinauf. Dort ist zwischen den beiden Türen zum Konzertsaal ein monumentales Fresko mit stilisierten Frauen- und Männerfiguren, die sich an einer Quelle laben unter dem Leitspruch: »Wer das Leben sucht, macht eine Wallfahrt zur Quelle der Kunst.« In Gedanken habe ich diesen Text durch die Worte ersetzt: »In diesem Tempel wird keine Stümperei geduldet.«

So kenne ich meinen Vater nicht. Selten ist er so gesprächig, danach wird er es auch nie wieder sein.

Das Gebäude wird noch immer als Konservatorium benutzt, sagt Onkel Miksa.

Sie war nie zufrieden. Wenn ich bei einer der Aufführungen ein Solo spielen musste, saß sie ganz vorn, den Blick gnadenlos auf mich gerichtet.

Strahlend kam sie nach Hause, ruft Onkel

Miksa, sie prahlte vor Verwandten und Freunden. Ihr Sohn, einer der wenigen jüdischen Schüler, die die Musikakademie besuchen durften. Nicht umsonst hatte er denselben Nachnamen wie der bekannte Komponist. Sárikas Sohn, auf ihn würden die Bühnen der ganzen Welt warten!

Daran kann ich mich nicht erinnern, sagt mein Vater störrisch; ihr einziger Kommentar war: Warum machst du so ein komisches Gesicht, wenn du spielst? Der offene Mund, die geschlossenen Augen, als ob du schwachsinnig wärst. Es muss nicht nur gut klingen, es muss auch gut aussehen. Sie ließ einen mannsgroßen Spiegel in mein Zimmer hängen, damit ich mich beim Üben beobachten und korrigieren konnte.

Sie wollte dein Bestes, beharrt Onkel Miksa.

Wem von beiden soll ich glauben? Wie kann ich wissen, ob Sárika – sie ist in mir, jeder kann es sehen – ein ehrgeiziger General oder eine liebevolle Mutter war? Ich glaube meinem Vater, weil er mein Vater ist, weil ich merke, dass er leidet, wenn er von seiner Mutter spricht, obwohl sie tot ist und nichts mehr von ihm fordern kann. Ich glaube Onkel Miksa, weil er meine Großmutter verteidigt, weil er ein liebevolles Bild von ihr zeichnet, das von Wehmut durchtränkt ist, von Sehnsucht nach der Frau, die sie war, von der Zeit des Knoblauchs an bis zu ihrem Tod am Ufer der Donau.

Ich habe immer geglaubt, es gäbe nur eine Wahrheit, die einzige echte, diejenige, von der meine Mutter sagt, dass man sich an sie halten muss. Eine auf Tatsachen beruhende Wahrheit, die aus dem Irdischen auf eine metaphysische Ebene moralischer Unangreifbarkeit erhoben wird. Die Wahrheit als Friedensstifter, als Lösung aller Konflikte.

Die Wahrheit scheint so viele Facetten zu haben, wie es Zeugen gibt. Wenn Verónika nicht auch am Donauufer gestorben wäre (oder im Wasser, um Kugeln zu sparen, wie Onkel Miksa suggeriert), hätte sie wahrscheinlich eine weitere Facette beleuchtet. Kann ich aus diesen Wahrheiten, die sich gegenseitig ausschließen, eine Schlussfolgerung ziehen? Was hätte mir meine Großmutter selbst erzählt, wenn sie gewusst hätte, dass es mich geben würde? Bin ich so, wie ich zu sein glaube, oder hängt das auch davon ab, wie mich jemand anders wahrnimmt?

*

Grüß deinen Vater von mir. Eine Woche lang rumoren ihre Grüße in meinem Kopf wie ein Gewitter, das nicht richtig ausbrechen will. Meinen Eltern brauche ich diese Grüße nicht auszurichten, das weiß ich instinktiv.

Ich horche meine Mutter aus, ganz beiläufig, sie kann ohne Grund argwöhnisch werden. Warum hat Papa eigentlich nie etwas über die Zeit erzählt, in der er untertauchen und sich verstecken musste? Weil er die lieber vergisst. Warum? Weil es eine schreckliche Zeit in seinem Leben war. Meine Mutter schaut mich reserviert an. Was war so schrecklich? Ich sehe sie zögern. Es ist doch sicher kein Geheimnis? Dein Vater möchte bestimmt nicht, dass ich darüber rede. Ich bin seine Tochter, dränge ich, es ist schon so lange her.

Sie schenkt uns Kaffee ein. Sie nimmt einen Keks dazu, und noch einen. Es besteht ein seltsamer Zusammenhang zwischen dem, was meine Mutter in sich hineinstopft, und dem, was in ihr vorgeht. Ein Reflex, ein chronischer Hunger der Seele auf Kosten des Körpers, der ständig durch Essen beruhigt und beschwichtigt werden muss. Sie seufzt. Ihre mollige Hand greift zum dritten Mal in die Keksdose. Ich habe sie nie kennen gelernt, fängt sie an. Dein Vater und sie hatten ein Verhältnis, schon vor dem Krieg.

Wie sie das Wort »Verhältnis« ausspricht, als ginge es um eine unheilbare Krankheit. Es verrät, wie sie über sexuelle Beziehungen denkt, die nicht durch eine Heirat legitimiert sind. Es verrät, wie sie über ihre eigene Ehe denkt, die nie den Glanz eines Verhältnisses hatte.

Im Krieg, als er eine Zuflucht brauchte, war es selbstverständlich, dass er zu ihr zog. Natürlich nicht offiziell. Sie besaß ein Geschäft, einen Feinkostladen, der den größten Teil des Krieges trotz der Lebensmittelknappheit geöffnet blieb. Sie wohnte in der Etage darüber. Es scheint eine Wohnung gewesen zu sein, wie es Tausende in Amsterdam gibt, das Wohnzimmer zur Straße hin, dann ein kleiner, fensterloser Nebenraum, eine Art Alkoven, dahinter das Schlafzimmer. Den Alkoven, der nicht größer als ein geräumiger Schrank war, hatte sie unsichtbar gemacht. Vom Wohnzimmer aus sah man nur eine Holzwand, die den Raum vom Schlafzimmer trennte. Bei Razzien musste dein Vater nur eine lose Platte herausheben, durch die Öffnung schlüpfen und sie von innen wieder schließen. Es gab sogar ein Guckloch an der Rückseite, ein Astloch, durch das er die Suchaktionen verfolgen konnte.

Hat er die Anspannung nicht ertragen?, frage ich.

Er hätte es ertragen, wenn das alles gewesen wäre. Aber irgendwann fing sie ein Verhältnis mit einem deutschen Offizier an.

Wieder dieses Wort, das wie eine verhängnisvolle Krankheit klingt, wieder dieser Glanz eines Glücks, das nur anderen vergönnt war. Dann wird mir die Tragweite dieser Mitteilung bewusst. Ich starre sie an. Ich starre sie an wie eine Schwachsinnige. Ich stammle: Mit einem Deutschen?

Ja. Sie tat es, um deinen Vater zu beschützen, jedenfalls hat sie das behauptet. Künftig blieb ihre Wohnung von Razzien verschont.

Ich frage, ob mein Vater sie sehr geliebt hat. Meine Mutter schaut mit glasigem Blick an mir vorbei. Sie denkt an ihre vergeblichen Versuche, ihm das zu sein, was sie nicht war, nie werden konnte. An ihre zerronnene Hoffnung, unentbehrlicher als die andere zu sein.

Meine Mutter seufzt. Diese Frau war seine große Liebe. Er ertrug es nicht. Ich glaube, er wäre lieber bei einer Razzia entdeckt worden, als auf diese Weise mit dem Leben davonzukommen. Eine weitere Angst kam hinzu: dass er während eines Besuchs des Deutschen seine Anwesenheit verraten könnte. Er hatte das Gefühl, der andere könnte hören, wie er atmete, wie ihm die Schweißtropfen herabfielen. Er befürchtete auch, der Mann könnte unerwartet vorbeikommen und ihn im Wohnzimmer antreffen, obwohl sie beteuerte, dass er nur kam, wenn sie sich verabredet hatten. Er ist ein Deutscher, sagte sie, die halten sich an Verabredungen.

Ja, sage ich, Deutsche halten sich an Verabredungen.

Das Gespräch mit meiner Mutter brennt sich in

mein Gedächtnis ein, Wort für Wort. Mir wird die Aussichtslosigkeit ihrer Ehe mit meinem Vater bewusst, einer Ehe, die für ihn eine Flucht ins Vergessen war. Und ich, seine Tochter, das Kind seiner Neigung zum Vergessen, nicht um meiner selbst willen geboren, sondern als Trost für meine Mutter, als Abfindung.

Die blonden Locken der Geliebten meines Vaters tanzen, ein Tanz von Kriegern, die sich gegenseitig anfeuern. Sie hat nichts verloren, sie triumphiert über uns, meinen Vater, meine Mutter, über mich.

Hat sie etwas für den Deutschen empfunden?, frage ich.

Woher soll ich das wissen? Schon der Gedanke irritiert sie. Es ist ihr einerlei, ob die Frau etwas für ihren Deutschen empfunden hat oder nicht. Aus der Sicht meiner Mutter hat diese Frau keine Gefühle.

Wann hat er dir das alles erzählt?

Kurz nachdem wir uns kennen gelernt hatten. Danach hat er nie wieder davon gesprochen. Ich dachte, ich helfe ihm darüber hinweg, er wird sich wieder mit dem Leben versöhnen. Aber in ihm war etwas zerbrochen, ich weiß nicht, etwas Wesentliches. Als ob eine Saite gerissen wäre. Wie kann man noch auf einem Cello spielen, an dem eine Saite gerissen ist? Und dann die Nachricht über das Schicksal seiner Familie, ja, das kam auch noch dazu.

*

Er ist mit den Zigeunern fort, rief Mutter jedem zu, der es nur hören wollte, sie haben ihn mitgenommen! Als ob man dich entführt hätte! Sie war untröstlich, sie war wütend. Vater hat dich verteidigt. Er ist jetzt ein junger Mann, es ist gut, dass er in Berlin ist, dort pulsiert das Leben, er muss Erfahrungen sammeln, sich die Hörner abstoßen. In einem Zigeunerorchester, stöhnte Mutter. Ihr Liebling, bestimmt für die Konzertbühnen der Welt, spielte ordinäre Zigeunermusik, wer weiß wo, in Restaurants, in Kneipen, auf der Straße. Er wird schon wiederkommen, versuchte Vater sie zu beschwichtigen, wart's nur ab. Aber du kamst nicht wieder.

Auch wenn ich erst neun bin, entgeht mir nicht der indirekte Vorwurf in Onkel Miksas Worten. Im Namen derer, die es nicht mehr können, wirft er seinem Bruder vor, dass er nicht zurückgekommen ist. Nicht zurückgekommen, als es noch möglich war. Nicht zurückgekommen, um ein gemeinsames Schicksal zu teilen.

Mein Vater rechtfertigt sich. In Berlin hatte ich einen Pianisten kennen gelernt, der mir sagte, in den Niederlanden fände ein Musiker immer Arbeit. Nach der Kristallnacht sind wir zusammen fortgegangen.

Mein Vater sitzt mit gebeugtem Rücken und leblosem Blick da. Ich ertrage es nicht, dass er gezwungen wird, sich zu verteidigen. Ich weiß noch nicht, dass es ein Wir-haben-es-nicht-kommen-Sehen gibt. Der gebeugte Rücken meines Vaters. Vom Schleppen des Cellos durch die Andrássy ut? Von den Stockhieben? Vom krampfhaften Beugen über das Instrument, als sich sein Körper noch im Wachstum befand? Vom Ehrgeiz seiner Mutter? Von der Schuld, auf die Onkel Miksa ihn bei dieser Gelegenheit sanft hinweist?

Ich stelle mich hinter meinen Vater und lege ihm die Hände auf die Schultern. Niemand beachtet mich. Das Thema, das zur Sprache gekommen ist, ist so belastet, dass rasch im Album weitergeblättert wird. Namen von Vettern und Cousinen werden genannt, seltsame, unergründliche Wesen aus einer anderen Zeit, einem anderen Land, die alle … Alle? Ja, alle, bis auf wenige Ausnahmen.

*

Plötzlich haben sich alle Linien getroffen. Eine neue Verbindung ist entstanden, überall gehen Lichter an. Mein Vater, meine Mutter, Stefan, sie kennen nur einen Teil dessen, was ich bei mir die Wahrheit nenne. Eine Wahrheit, die vielleicht nur existiert, weil ich sie herbeisehne, weil ich sie will. So wie Gott existiert, so lange wir Ihn denken. In mir finden sich die Teile nun zusammen wie bei einem Puzzle. Es ist eine Bürde zu wissen, was ich weiß, eine neue, unbekannte Verantwortung, die mir Angst macht.

Ich könnte schweigen, es vergessen, es gehört zu einer Vergangenheit, die weit hinter uns liegt, vor meiner Geburt, es geht mich nichts an. Es gehört zur Gegenwart, weil ich es weiß; ein Bild davon befindet sich in meinem Kopf und nimmt mir den Atem. Es ist explosiv, eine Mine, die hochgehen wird unter der resignierten Ruhe unseres Daseins, ohne dass ich es verhindern kann. Mein Kopf ist schwer.

Es gibt etwas, das sich mitteilen will. Zuerst liegt es noch außerhalb meiner bewussten Wahrnehmung, es meldet sich indirekt, verstohlen als lästig pulsierende Spannung. Ich beachte es nicht. Aber es ist wie eine Grippe, deren erste Anzeichen man übersieht und die dann mit doppelter Heftigkeit ausbricht. Im Fieber erscheint die Vision zweier Augenpaare, die mich anschauen, zweier identischer Augenpaare, von denen eine melancholische Ergebenheit ausgeht. Der Blick weckt das Bedürfnis, etwas zu tun, etwas Verrücktes, etwas Gutes, etwas Liebes, um die Traurigkeit aus diesem Blick zu vertreiben, auch wenn man weiß, dass es vergebens ist. Was man sich auch an Verrücktem, Gutem, Liebem ausdenkt, es wird keine Wirkung haben.

Um die Augen herum erscheinen zwei Gesichter, geformt aus der unstofflichen Materie meines Unterbewusstseins, wo sie geraume Zeit gewartet haben müssen, ehe sie sich gleichzeitig offenbarten. Ohne es zu wissen, wusste ich es bereits. Ich wusste es seit dem Augenblick, als der Student uns die Tür öffnete. Es hat mit den Augen angefangen. Dann kam das Gesicht, das anders und doch wieder nicht anders ist. Die Züge weniger markant, nicht so scharf, aber das hängt mit ihrer Jugendlichkeit zusammen. Viel mehr Haare, dicht, schwarz, glänzend, von einer Schere kaum zu zügeln. Die Haare meines Vaters sind dünner, grauer und natürlich kurz geschnitten.

In meinem Geist findet eine Revolution statt. Ich habe keine Wahl, ich muss mir schweigend den Kampf ansehen, der dort ausgefochten wird, niemand gibt ohne weiteres die Macht aus den Händen. Es raubt mir den Appetit, den Schlaf, das Interesse für etwas anderes. Es unterbricht radikal die zerbrechliche Kontinuität meines Lebens, die Freiheit meiner Gedanken, sich in eine beliebige Richtung zu wenden.

Jedenfalls gibt es eine Wahrheit dieser Art, eine unabwendbare, biologische Wahrheit, vor der man nicht weglaufen kann. Die das ganze Leben durcheinander bringt oder genau in die Bahnen zwingt, für die es bestimmt ist.

*

An diesem Tag steige ich nicht auf die Leiter. Ich komme gar nicht auf den Gedanken, dass es einen Himmel gibt, an den letzte Hand gelegt werden muss. Dieser Tag ist dazu bestimmt zu entdecken, dass der Himmel ein Vorwand war.

Ich sage es ihm. Meine Gefühle sind in diesem Moment auf seltsame Art abwesend, als ginge mich die ganze Geschichte nichts an. Mit tonloser Stimme berichte ich ihm, was ich weiß. Ich sage ihm, dass mein Vater nicht nur einen Unterschlupf bei seiner Mutter gefunden hat, sondern auch ihr Freund, ihr Geliebter war. Dass ihre Beziehung zu dem Deutschen eine doppelte Grausamkeit, seine Mutter ein Ungeheuer mit zwei Köpfen war, das einerseits Liebe und Schutz suggerierte, während es andererseits Verrat beging. Dass sie ihre Macht schändlich missbraucht hat.

Er nickt, als könnte er es begreifen. Seine Hände zittern, während er Wein einschenkt; im Nu hat er zwei Gläser geleert. Versteht er es, dringt es in sein

Bewusstsein? Ist ihm schon einmal der Gedanke gekommen, dass ... Muss ich es noch ausdrücklich betonen?

Kaum höre ich auf zu reden, senkt sich eine verfremdende Stille auf uns. Ich schaue hoch zu meinen Wolken, seinen Wolken, die nichts Beruhigendes haben. Schutzlos bin ich, genau wie Stefan. Er ist besonders schutzlos in diesem Augenblick. Was richte ich an mit dieser neuen Version vom Ursprung seines Lebens, warum muss ausgerechnet ich die Überbringerin dieser Nachricht sein? Wie kann etwas, was vor so langer Zeit geschehen ist, seinen Schatten so weit vorauswerfen, über ihn, über mich? Hat nicht jedes neue Leben das Recht auf Unschuld?

Er steht auf und geht hin und her, mit dem Glas in der Hand, das er zum dritten Mal gefüllt hat. Der Wein schwappt bei jedem Schritt. Ein Orkan lässt die Wellen im Glas hochschlagen, bis zum Rand, das Schiff wird untergehen, keiner wird überleben. Stefan beginnt verächtlich zu lachen. Ein beunruhigendes Lachen, das zu den Wolken aufsteigt. Lachend geht er hin und her, er schüttelt den Kopf, er trinkt. Er ringt mit dem Bild, das er nun von sich formen muss. Wir brauchen ein akzeptables Selbstbild, eines, mit dem wir leben können, auf der Grundlage des Bildes unserer Eltern, Großeltern, das wir auch in uns tragen. Meine

Mutter in mir habe ich durch meine unbekannte Großmutter aus Budapest ersetzt, das hat geholfen.

Stefan hat eine selbstbewusste, attraktive Mutter, die es noch immer gewohnt ist, bewundert zu werden – das ist nicht zu übersehen. Aber da ist ein Trauerrand um seine attraktive Mutter, ein gezackter Trauerrand, an dem man sich verletzt. Und nun muss er auch noch einen nicht vorhandenen, ihn in diesem Nichtvorhandensein jedoch mit einem Fluch belastenden Vater durch einen echten Vater ersetzen – und auf was für einer Grundlage.

Das will ich aus ihrem Mund hören!, ruft er. Er reißt seinen Mantel vom Haken und geht, ohne sich noch einmal nach mir umzudrehen. Ich bleibe in einem Zustand dreifacher Erschütterung zurück – wegen ihm, wegen mir, wegen meinem Vater.

*

Budapest ist eine schöne, schizophrene Stadt. Zwei Ufer, die einander nie näher kommen werden, wie viele Brücken man auch baut. Die Holzbrücke der Römer, die Pontonbrücke der Türken, die Fliegende Brücke der Habsburger, die Kettenbrücke, die Graf Széchenyi bauen ließ, um rechtzeitig zum Begräbnis seines Vaters zu kommen, die Elisabethbrücke, die das mittelalterliche Herz von Pest aufsaugte, die Franz-Joseph-Brücke mit dem Turulvogel, dem Stammvater von Arpád, der die sieben magyarischen Stämme in die Donauebene führte. So viele Brücken, und dennoch scheint die Zerrissenheit stärker als die Einheit.

Man sieht es mit einem Blick. Die mächtige Felswand von Buda, die steil aus der Donau aufragt, und auf der anderen Seite die Ebene von Pest. Auf dem Fels das Schloss von Buda, in Konkurrenz dazu schräg gegenüber das Parlament von Pest. Buda alt und ehrwürdig, Pest jung und dynamisch. Das Wasser des Flusses strömt vom Schwarzwald über Wien hierher, ist ganz kurz ein Teil von Budapest und fließt dann weiter gen Osten, um sich schließlich mit dem Wasser des Schwarzen Meers zu vermischen. Das ungreifbare Element Wasser, wir können die Schale unserer Hände damit füllen, und es rinnt uns durch die Finger. Nur Frost kann das Wasser zum Stillstand zwingen. In gefrorenem Zustand gehört das Wasser des Flusses wirklich Budapest. In früheren Jahrhunderten eigneten sich die Stadtbewohner im Winter das Wasser in Form von Eis an, indem sie Jahrmärkte und Bälle darauf veranstalteten. Mit dieser Gewohnheit war es 1883 vorbei, als die Tanzfläche unter dem Gewicht der Paare nachgab und die

Tänzer in der Tiefe verschwanden. *In der schönen blauen Donau.*

Wenn es taut, beginnt der Fluss mit knarrender Stimme zu sprechen. Onkel Miksa hat Arme und Beine zwischen den Eisschollen gesehen.

In der Mitte des dreizehnten Jahrhunderts gestattete König Béla den Juden, sich offiziell auf dem Schlossberg in Buda anzusiedeln. Wahrscheinlich lebten sie zuvor auch schon dort. Es heißt sogar, jüdische Soldaten hätten in der nördlich von Buda gelegenen römischen Garnisonsstadt Aquincum gedient. Ungarns Könige profitierten von der Anwesenheit der Juden, die ihnen über die Jahrhunderte die Geldtruhe füllten und als Schatzmeister bewachten. Zuweilen fielen die Juden in Ungnade, nach einem vergeblichen Bekehrungsversuch oder wenn der Boden der Geldtruhe zu sehen war. Dann zwang man sie, das Land zu verlassen, und andere zogen in ihre Häuser. Aber nicht lange danach waren sie wieder willkommen. Brauchte man sie. Und sie kehrten zurück aus Sarajewo, Belgrad, Sofia, Thessaloniki, Adrianopolis, Istanbul.

Man brauchte sie, betont Onkel Miksa, und nicht nur wegen der Geldtruhe des Königs. Alle liehen sich Geld von ihnen, gegen einen Zins von nur drei Prozent. Sie versorgten die Stadt mit Baumwolle, Filz und Nähgarn, mit Seilen, Holz und Vieh. Sie unterhielten Handelsbeziehungen mit Westeuropa, mit dem Osmanischen Reich, mit den Städten am Unterlauf der Donau. Bei ihnen bekam man alles, auf Kredit zu günstigen Bedingungen. Exotische Früchte aus Kleinasien, Kelims, Samt, Musseline, Leinen, feines Leder aus Marokko, Schmuggelware aus Transsylvanien.

Erst gegen Ende des achtzehnten Jahrhunderts durften sie sich auch in Pest ansiedeln. Sie kamen aus dem überbevölkerten Óbuda, aus Böhmen, Mähren, Österreich. Vor den Stadtmauern ließen sie sich nieder, dort, wo heute die Király utca und die Terézváros ist. Ein jüdischer Markt, ein ritueller Schlächter, koschere Gaststätten, das alles gab es dort. Auch die Vorfahren des Vaters verließen Óbuda, in Pest wurden sie mit dem Gerben von Leder und dem Verkauf von Pelzen reich. Spätere Generationen besuchten die Universität, so konnte der Vater ein Stubengelehrter mit einer Leidenschaft für das Schachspiel werden. Die Familie wohnte damals längst nicht mehr in dem von emsiger Arbeit geprägten jüdischen Dreieck, sondern in dem viel vornehmeren Viertel hinter dem Parlament, in der Lipótváros.

Onkel Miksa hat einen Hut, einen Rockschoß, einen Schuh zwischen den Eisschollen gesehen.

*

Ich möchte gern wissen, wie man leben soll. Ich möchte gern, dass uns das jemand beigebracht hätte. Warum versagen diejenigen, die wir in unserer Kindheit für Autoritäten halten, in diesem Punkt? Wer soll uns sagen, was richtig ist? Das Kreuz, der Halbmond, Hammer und Sichel, der lächelnde Buddha. Was du nicht willst, das man dir tu, das füg auch keinem andern zu. Schaden wir uns selbst, wenn wir unserem Nächsten schaden?

Stefans Mutter meint, dieser Nächste solle nicht so überempfindlich sein. Er müsse einsehen, dass es nur zu seinem Besten ist, wenn man ihm wehtut.

Wir starren auf die Kumulonimbuswolken, die sich wollig und wattig wie schäumende Luft über unseren Köpfen auftürmen. Auf den ersten Blick Konfigurationen der puren Unschuld; in Wirklichkeit bringen sie Kältefronten und Orkane.

Sie tat es aus Liebe zu meinem Vater. Aus Liebe zu ihm schlief sie mit einem von denen, die durch die Straßen marschierten und die Häuser durchsuchten. Es war die zuverlässigste Methode, außer Schussweite zu bleiben, mein Lieber, das wirst du doch verstehen? Du hast doch sicherlich genügend historisches Bewusstsein mitbekommen?

Aber ob es dann auch denkbar sei, dass der

Deutsche nicht sein Vater ist. Ja, das sei sehr gut möglich, es sei sogar wahrscheinlich, wenn sie ihn so anschaue.

Warum hat sie ihm dann nicht die Wahrheit gesagt? Als sie an diesem Punkt sind, geht der unterkühlte Ton, in dem er seine Fragen stellt, in Schreien über. Die Beschimpfungen, die Schikanen, die er als Kind auf der Straße, in der Schule erdulden musste. Das Bild, das er sich nur mit Mühe von einem Vater gemacht hat, der bereits tot war, ehe er Vater wurde. Die ewige Sehnsucht nach einem Vater, wie ihn jeder Mensch hat, immer wieder im Keim erstickt, weil unerfüllbar. Sein Selbstbild, das von Anfang an einen Sprung aufweist. Warum? Warum? All die Jahre, während ein wirklicher Vater vorhanden war. Ein wirklicher Vater, statt des illusorischen, den sie ihm zugemutet hat. Warum? Zum ersten Mal in seinem Leben sieht er seine Mutter nach Worten ringen. Seine Mutter, die immer so selbstsicher ist, eine Festung, er schlägt Breschen in die Festung mit seinem Warum, Warum, Warum.

Weil, weil. In die Enge getrieben kommt sie mit Erklärungen. Weil ihr ein toter Vater erträglicher schien als ein Vater, der auf und davon ist, ein Vater, der von seinem Sohn nichts wissen will.

Woher wusste sie so genau, dass er von seinem Sohn nichts wissen wollte?

Weil sein Vater sich nach der Befreiung plötzlich gegen sie gewandt habe. Mit zusammengepressten Zähnen habe er seine Sachen gepackt und sei, ohne sie noch eines Blickes zu würdigen, mit grimmigem Schweigen gegangen. Als sei sie die ganze Zeit nicht mehr als eine Zimmerwirtin gewesen. Wie hätte sie ihm in dieser Stimmung sagen können, dass sie schwanger war?

Dann kamen die Demütigungen. In der vornehmen Gegend, wo vor dem Krieg viele wohlhabende Juden wohnten, wird ihr die zweifelhafte Ehre zuteil, die einzige Moffenhure zu sein, aber das wusste Stefan schon. Die Rachegelüste der Nachbarn entluden sich auf ihr, sie wurde kahl geschoren, wie Luft behandelt, verachtet, die Kunden blieben weg. Auch das hat sie ihm vor langer Zeit erzählt. Sie konnte nichts zu ihrer Verteidigung vorbringen; der Einzige, der ihr Fürsprecher hätte sein können, der all die Demütigungen hätte verhindern können, indem er sich gezeigt und gesagt hätte: Ich lebe, und ihr verdanke ich mein Leben – der Einzige, der das hätte tun können, war spurlos verschwunden. Niemand hatte auch nur geahnt, dass sie ihren ungarischen Juden beherbergte.

Ich hätte mehr Blau für seinen Himmel nehmen müssen. Warum so viel Weiß und unbestimmtes

Grau, warum über dem Bücherregal diese schweren Wolken in einem ins Schwarze spielenden Anthrazit? Es erinnert zu stark an Giorgiones *Gewitter*; hätte es nur mehr von dem vitalen Blau in Tizians *Bacchanal.* Stefan legt seine Hand auf meine. Steif liegen wir nebeneinander auf dem Bett wie ein in Stein gemeißelter, jung gestorbener Fürst mit seiner Gemahlin auf dem mittelalterlichen Sarkophag, für immer und ewig in der Unmöglichkeit von Liebe erstarrt. Das heißt also, wir sind miteinander verwandt, sagt er matt.

Jetzt, wo er es laut ausspricht, fällt es wie ein großer Stein in mir hinab, auf kühlen, harten Boden. Ich fühle mich verlassen, abgeschnitten von etwas, was nie anfangen wird. Ich habe ein großes Bedürfnis, auf die richtige Art zu leben, aber es fehlt mir an Vorbildern.

Wir stellen uns vor den Spiegel, der über dem Waschbecken hängt. Über die Rasiersachen hinweg sehen wir seinen Kopf, meinen Kopf, seinen Kopf. Was wir sehen, ist die Vergangenheit. In dieser Vergangenheit das Gesetz von Ursache und Wirkung, das den Zufall auszuschließen scheint, und dennoch ist so viel Zufall im Spiel, dass man nicht mehr weiß, ob es so sein musste oder ob es auch ganz anders hätte kommen können. Nur eines von allen möglichen Szenarien wurde verwirklicht; mit sprachloser Verwunderung betrachten wir dieses eine Szenario im Spiegel. Wenn ich dich so anschaue, hat sie gesagt. Er weiß es noch nicht, aber im Spiegel sehen wir meinen Vater und meine Großmutter. Der Einfluss unserer Mütter auf unser Aussehen ist gleich null. Ist das auch Zufall oder das Mendel'sche Gesetz? Wir blicken in den Spiegel und sehen unsere Vorfahren. Die Unfreiheit seines Lebens, meines Lebens schaut mich mit seinen Augen, meinen Augen an. Künftig werden wir nur noch über die Vergangenheit in unsere Zukunft blicken können.

Er legt mir den Arm um die Schulter. Wann kann ich ihn treffen, sagt er.

*

Farben verändern sich unter dem Einfluss von Licht, meint Onkel Miksa. Wir haben das Recht auf eine eigene Meinung über Farben. Manche sagten im Winter 1944, die Donau sei rot, andere sprachen eher von braun.

Sárika und Aron haben für viel Geld einen Schutzpass des Vatikans beschafft, für sich und für Verónika, die gerade vierzehn geworden ist. Es sind auch Pässe des Roten Kreuzes in Umlauf, und schwedische, schweizerische, spanische, portugiesische. Echte und gefälschte. Onkel Miksa erklärt uns, wie alles organisiert war. Es ist erst zwölf Jahre her, er hat nichts vergessen. Auf der Grundlage von Vereinbarungen zwischen der Regierung der faschistischen Pfeilkreuzler und den Botschaften der neutralen Länder gibt es in der Stadt spezielle Häuser, in denen Juden unter dem Schutz des Landes stehen, dessen Pass sie besitzen. Die Pfeilkreuzler hoffen, als Gegenleistung für diese großmütige Geste von jenen Ländern offiziell anerkannt zu werden. Als diese Anerkennung ausbleibt, wird der neutrale Status einiger Häuser nicht länger respektiert. Eine dieser Adressen ist Pozsonyi ut 30, ein Haus, das unter dem Schutz des Vatikans steht.

Mein Vater ist damit einverstanden, dass Onkel Miksa es mir erzählt. Ich bin groß genug, um es zu wissen, meint er. Es sind Tatsachen, nichts ist ausgedacht. So etwas wie diese Wirklichkeit könnte sich kein Mensch ausdenken. Es gibt eine besondere Stimmlage für diese Tatsachen; eine ausdruckslose, fast unpersönliche Stimme ist der einzige Schutz, den der Sprecher gegenüber dem hat, was man nicht verstehen und nicht verarbeiten kann. Onkel Miksa starrt auf einen undeutlichen Punkt in der Ferne.

Es ist dunkel, als die Pfeilkreuzler in das Haus stürmen. Mit Gewehrkolben im Rücken werden die sich sicher wähnenden Bewohner von 30 ans Donauufer getrieben. Alle Wertsachen müssen sie abgeben, manche müssen sich ausziehen, manche werden geschlagen.

Wir sehen sie dort zu dritt stehen, und wir wissen, was nun passiert. Lass es schnell gehen, hoffe ich. Ich denke an meine Tante Verónika, nur wenige Jahre älter als ich, ich wage es nicht, an sie zu denken. Wie konnte ich bisher mit so viel Vertrauen leben, es gibt überhaupt keinen Grund, Vertrauen zu haben.

Die Donau ist rot, sagt der eine. Die Donau ist braun, sagt der andere. Es hängt von der Tageszeit ab, zu der man auf die Donau schaut, und davon, was man sehen will. Onkel Miksa, der einen schwedischen Pass hat und in einem der Häuser von Raoul Wallenberg wohnt, war am Donauufer und hat alles Mögliche zwischen den Eisschollen gesehen.

*

Es ist, als müsse ich kurz die Rolle Gottes übernehmen. Darf ich das tun? Ich weiß nicht, ob ich es darf, ich muss es tun.

Ich bitte meinen Vater, mir das Bücherregal zu bringen, das er mir vor langer Zeit versprochen hat. Das bunte Metallregal in meinem Zimmer ist voll, überall liegen Bücherstapel. Ich möchte endlich Ordnung schaffen, sage ich zu ihm. Er ist selbst sehr ordentlich, mein Vater, das Argument leuchtet ihm ein. Außerdem stelle ich etwas Verlockendes in Aussicht. Sonntagnachmittag wird im Concertgebouw das zweite Streichquartett von Bartók gespielt, wir könnten das Nützliche mit dem Angenehmen verbinden. Wenn mein Vater und ich ins Konzert gehen, kann man sich sicher sein, dass meine Mutter nicht mitkommt. Die Liebe und die Musik haben ihn ihr weggenommen. Sie meint, sie sei zu dick, um Konzertsäle zu besuchen.

Die Würfel sind gefallen. Stefan weiß alles. Ich bin ein unsicherer *trait d'union* zwischen ihm und meinem Vater. Ich habe Angst, dass es mindestens einen von beiden in eine Krise führt. Lass es nicht meinen Vater sein. Ich kann ihn nicht beschützen vor dem, was aus seiner eigenen Vergangenheit erwachsen ist.

Das Wasser in der schmalen Gracht vor dem Haus, in dem ich ein Zimmer gemietet habe, strömt vom Wind getrieben viel schneller als sonst zwischen den Ufermauern dahin. Ein metallischer Glanz liegt über der gekräuselten Oberfläche. Ich stehe am Fenster und denke an mein Unvermögen, mich in Bewegung zu setzen. Fortgehen und nie mehr zurückkehren. Der Welt gehören, nicht der Familie. Über einen staubigen Pfad unter antikem Licht in Richtung Horizont verschwinden. An einem Flussufer sitzen, im Schatten einer Pappel auf die Spiegelung der Häuser gegenüber blicken, für immer erstarrt in sommerlichem Müßiggang, in Monet'schen Farbtupfern.

Im Wasser der Gracht sehe ich, was aus der Möglichkeit wird, frei über mich zu verfügen. Zwischen zwei hohen Ufermauern wird sie hinweggeschwemmt.

Unterstützt vom Cello dominieren die Geigen im zweiten Streichquartett von Bartók. Der erste Teil klingt, als käme er von weit her, aus einem Zimmer, dessen Existenz man vergessen hat, irgendwo hinten in einem großen Haus. Es ist eine sonderbare, beunruhigende Musik, die mich in ein Gefühl der Einsamkeit taucht. Langsam verschwinde ich darin. Ein unerwartetes Pizzicato auf dem Cello, das fast wie ein Trommelwirbel klingt, lässt mich aufschrecken. Verstohlen schaue ich zu meinem Vater, der mit geschlossenen Augen zuhört, sich mit der Musik in die geheimsten Regionen seiner Seele zurückzieht. Was weiß ich von ihm? Er ist mein Vater, ein vertrauter Fremder. Ich kenne seine Verletzlichkeit, ich schäme mich für das, was ich ihm antun werde. Eines Tages wird er nicht mehr da sein, werde ich es dann bereuen?

Der zweite Teil verstärkt mein Gefühl des Unbehagens. So viel Tempo, so viel Eile, die einen durch den Tumult der Welt, die Launen des

Schicksals jagen. Etwas Volkstümliches, etwas Orientalisches schwingt darin mit. Eine vage Erinnerung an die Magyaren, die Osmanen? Im Programm auf meinem Schoß lese ich, dass Bartók das Stück während des Ersten Weltkriegs komponiert hat. Von einem Dorf unweit von Budapest aus verfolgte er gespannt die Geschehnisse. Trotzdem kam er mit dem Komponieren weiter. Erstaunt darüber schrieb er in einem Brief an seine Mutter: Wie es scheint, schweigen im modernen Krieg die Musen nicht.

Ich bin nicht in der Stimmung, still zu sitzen und der Musik zu lauschen. Dieses Konzert ist ein Opfer, das ich meinem Vater bringe, um ihn milde zu stimmen, ihn vorher zu entwaffnen. Zum Glück ist der letzte Teil vergeistigter. Ich atme auf. Die Musik verbreitet nun eine Atmosphäre des Nachsinnens, als führe jemand Selbstgespräche. Das Programmheft zitiert einen ungarischen Kritiker, der die Musik mit dem »tief verinnerlichten, nächtlichen Monolog eines einsamen Mannes« vergleicht.

Dann ist es vorbei, zwei tiefe, gezupfte Töne des Cellos kennzeichnen den Schluss. Abrupte, trockene Töne, gewagt und rätselhaft.

Mein Vater baut das Bücherregal, das er für den Transport auseinander genommen hat, wieder zusammen. Das Unvermeidliche muss geschehen, es rückt immer näher. Rastlos umkreise ich ihn. Von allen Seiten betrachte ich meinen Vater, der ein eigenes, mir unbekanntes Leben geführt hat, bevor ich geboren wurde.

Stefan klingelt zur verabredeten Zeit. Als ich die Tür öffne und er vor mir steht, wird mir unwillkürlich die Absurdität bewusst, die in der Umkehrung der Situation liegt: Ich öffne die Tür, er steht davor, er und ich, die einander wahrnehmen. Weitere Parallelen gibt es nicht. Nur kurz schaut er mich an, scheu, dann meidet er meinen Blick. Er zögert, bevor er eintritt. Ich lasse ihn herein und stelle ihn vor. Stefan, ein Freund. Mit einem Regalboden in der Hand richtet sich mein Vater auf, um Stefan zerstreut die Hand zu geben. Wir trinken Kaffee, während mein Vater das Regal weiter zusammenbaut. Stefan bietet schüchtern seine Hilfe an. Der Vater, der plötzlich so echt, so greifbar ist, dass es Stefan sichtlich schwindelt, versichert ihm, dass er fast fertig sei. Es wundert mich, dass unser Beisammensein so sehr den Anschein von Normalität hat. Hin und wieder wirft Stefan meinem Vater einen verstohlenen Blick zu. Er ist im Vorteil, weil er es weiß, mein Vater aber nicht. Zwischen ihnen herrscht ein schmerzhaftes Ungleichgewicht.

Das Alibiregal steht. Mein Vater setzt sich, ich bringe ihm Kaffee. Kaffee beruhigt, zusammen

Kaffee trinken ist zusammen die Friedenspfeife rauchen. Kaffee macht den Gegner, das Opfer, gefügig. Ist mein Vater Gegner oder Opfer?

Stefan und ich, wir wollen dir was sagen.

Es ist ein Anfang. Aber was für ein Anfang! Mit einem Anflug von Misstrauen schaut mein Vater von Stefan zu mir, als erwarte er, dass wir ihm unsere Verlobung ankündigen. Da kommt irgendjemand daher und nimmt ihm seine Tochter weg. Er ist Opfer, ich weiß es genau.

Stefan ist der Sohn von Ida Flinck, Vater, er ist am 23. November 1945 geboren.

Ich sage es hastig und mit tonloser Stimme, wie einen auswendig gelernten Text. Es *ist* ein auswendig gelernter Text, wieder und wieder habe ich den Satz geübt, ehe ich ihn hier auf die Wirklichkeit loslasse.

Sie können ihn ruhig schlagen, hat meine Großmutter zu dem Musiklehrer gesagt. So ein Gesicht muss er damals auch gemacht haben. Es tut weh, aber keiner kann mich wirklich treffen.

Mein Vater wiederholt ihren Namen, um zu prüfen, ob er noch in seinen Mund passt. Nach so vielen Jahren. Nach allem, was geschehen ist. Er sieht Stefan forschend an, er ist auf der Hut. Ach, sie hatte einen Sohn, sagt er.

Sie hat einen Sohn, korrigiere ich.

Stefan lacht nervös. Ich habe immer geglaubt,

dass Helmut Schwabing, der im Krieg umgekommen ist, mein…

Ist er tot?, sagt mein Vater schroff.

Ich… ich habe all die Jahre geglaubt, dass Helmut Schwabing mein Vater war, stammelt Stefan, aber jetzt… Kata, und auch meine Mutter, sie finden, dass ich Ihnen sehr ähnlich sehe.

Für einen Moment kommt mir Stefan als der Verletzlichere vor, nun, wo er sich als Sohn anbietet.

Verstört sucht mein Vater sich selbst in Stefan. Er kennt sich nur aus dem Blick in den Spiegel. Vor einer Viertelstunde hat er noch ein Regal zusammengebaut, und nun sucht er im Gesicht eines wildfremden jungen Mannes nach Übereinstimmungen mit seinem eigenen Spiegelbild. Sieht er Bilder vor sich, Szenen, hört er von neuem die Dinge, die Menschen zueinander sagen, in Liebe, in Angst? Noch einsamer als sonst ist er in diesem Augenblick. Ich kann nichts für ihn tun.

Stefan schaut ihn wie hypnotisiert an. Er spürt nicht das Gewicht der gestörten Leben, gestört durch Reue, Scham, Gewissensbisse, Unvermögen. Was in meinem Vater vorgeht, kann er unmöglich nachvollziehen. Für ihn ist es eine Geburt. Er schaut wie hypnotisiert auf die Geburt seines Vaters.

Innerhalb kürzester Zeit wird von meinem, seinem Vater das Unmögliche verlangt: eine neue Ordnung in seinem Bewusstsein zu schaffen. Wie ein Vater reagieren, mit einer gewissen Würde in Gegenwart der Tochter und des jungen Mannes, der vielleicht sein Sohn ist.

Er steht auf. Unwillkürlich greift er nach seinem Mantel, als könnte das die Rettung bringen. Er versucht zu verbergen, dass er fassungslos ist, er schaut auf das Bücherregal, das ihn hintergangen hat, er schaut sich nervös um. Sieht mich an, dann Stefan. Ich glaube, es ist besser – er räuspert sich –, wenn wir einen kleinen Spaziergang machen. Die Einladung ist an Stefan gerichtet, nicht an mich. Stefan springt auf und hilft seinem soeben erworbenen Vater in den Mantel.

Ich höre die Haustür ins Schloss fallen und schaue ihnen nach, wie sie zusammen im Schein der Straßenlaternen an der Gracht entlanglaufen. Vater und Sohn. Der Sohn das Produkt eines Augenblicks der Lust, die sich gegen sich selbst gewandt hat. Der Gedanke an diese Lust ängstigt mich. Sie kommt mir vor wie ein Überrest aus einer barbarischen Phase der Menschheit, in der Lust mit Gewalt, Grausamkeit, Gleichgültigkeit einherging. Dass irgendwo im All eine Form von Leben existiert, kann ich mir eher vorstellen als die Leidenschaft meines Vaters. Meines Vaters und der Frau mit den Eiskristallen in den Augen.

*

Im August 1496 gab es auf dem Schlossberg in Buda ein Pogrom, von Bonfini beschrieben: »Im Judenviertel kam es zu einem Tumult junger, verantwortungsloser Christen, die ohne Respekt vor den Haustüren der Juden herumbrüllten und Steine an ihre Fenster warfen. Als die Juden sie wegjagen wollten, fiel ein großer Haufen fragwürdiger Gestalten, größtenteils arme Leute, die zerstören und plündern wollten, über sie her...«

In viereinhalb Jahrhunderten hat sich nichts geändert. Onkel Miksa mit seinem soliden schwedischen Pass hat es überlebt. Jenö ist aus den Niederlanden gekommen, aber wieder fortgegangen. Die Brüder sind einander um den Hals gefallen, sie haben wie Männer geweint, aber schon bald sind beide in ihrer Sprachlosigkeit gefangen. Es gibt nicht einmal eine Bestattungszeremonie, die eine gebührende Trauer ermöglichen würde. Von Jenös Wegen durch die verwüstete Stadt seiner Kindheit ist nur das Ergebnis bekannt. Er wollte nicht bleiben, weil es nie mehr dieselbe Stadt sein würde. Er muss den Schlossberg gesehen haben, der nicht zum ersten Mal vollständig zerstört worden war. Er wird am Ufer der Donau gestanden haben. Wo war das Wasser, das er nun sieht, als es geschah? Noch an der Quelle im Schwarzwald?

Wenn man dort ein Spielzeugboot aufs Wasser setzt, wie schnell ist es in Budapest? Wie lange dauert es, bis es das Schwarze Meer erreicht? Wie kann ein Fluss, der im Schwarzwald entspringt, um im Schwarzen Meer zu münden, immer wieder als blau besungen werden?

Er denkt an seinen Vater, den angesehenen Historiker. Für ihn war die Geschichte ein Gegenstand von Studien und Interpretationen, innerhalb der sicheren Mauern von Hörsälen und Bibliotheken. Ob er sich jemals bewusst war, dass die Geschichte ein Panoptikum des Leidens ist? Dass die Wachsfiguren, auf die er verwies, und die Namen, mit denen er jonglierte, einen Bezug zu Menschen aus Fleisch und Blut hatten? Nun ist er selbst Teil der Menschheitsgeschichte geworden, er hat sich vom Schachbrett der Welt fegen lassen. Nie wird er seinen Söhnen eine brillante Interpretation der Ereignisse zum Besten geben.

*

Wo ist Stefan?

Nach Hause gegangen, murmelt mein Vater.

Wo wart ihr?

In einer Kneipe um die Ecke.

Mehr gibt er nicht preis. Er weicht meinem Blick aus, packt sein Werkzeug zusammen. Er macht nicht den Eindruck, ein gebrochener Mann zu sein. Das beruhigt mich. Während wir einander zum Abschied küssen, muss ich versprechen, es nie meiner Mutter zu erzählen. Niemals. Ich versuche, seine Stimmung zu ergründen, aber er ist wie immer verschlossen, abwesend. Es ist unmöglich, meinen Vater mit Worten einzufangen, schau, das hier ist mein Vater, so ist er, wenn man ihm sagt, dass er bereits seit zwanzig Jahren einen Sohn hat, wird er in Gelächter, in Tränen ausbrechen, er wird es nicht glauben. Man merkt ihm keine Gefühlsregung an, ich muss mich mit einer Verschwörung zwischen ihm und mir behelfen, einem kleinen Beweis des Vertrauens.

Nachdem er gegangen ist, räume ich die Bücher ins Regal. In welcher Ordnung soll ich sie aufstellen, alphabetisch, nach dem Jahr ihres Erscheinens, nach Genre? All die reich bebilderten Ausstellungskataloge, Kunstgeschichten, Handbücher mit Maltechniken, viele fast umsonst in Antiquariaten ergattert, endlich übersichtlich in einem Bücherregal. Buch für Buch geht durch meine Hände. Die Frührenaissance in Italien (warum erzählen sie mir nichts?), der keltisch-germanische Stil (warum lassen sie mich allein?), der abstrakte Expressionismus (was habe ich angerichtet?).

Schließlich gehe ich in der beruhigenden Tätigkeit des Ordnens auf, die den Mangel an Struktur in meinem Leben ausgleicht, solange ich damit beschäftigt bin. Hin und wieder schlage ich ein vergessenes Buch auf und lese mich fest, über die Technik der Temperamalerei, die Erfindung der Ölfarbe, den Pointillismus.

Die Zimmerwirtin ruft, meine Mutter ist am Telefon. Wo bleibt Papa, es ist zehn Uhr, er hätte längst zu Hause sein müssen. Ich weiß es nicht, er hat sich gegen sechs verabschiedet, vielleicht ist er essen gegangen. Das kann ich mir nicht vorstellen, jammert meine Mutter, dass er irgendwo allein essen geht. Ich lasse mich von ihrer Panik anstecken. Lange, nachdem meine Mutter aufgelegt hat, stehe ich noch mit dem Hörer in der Hand da, als hätte es katastrophale Folgen, wenn auch ich die Verbindung abbrechen würde.

Die Wirtin schaut um die Ecke. Wir erwarten auch ein Telefonat, du bist hier nicht die Einzige, die angerufen wird.

Ich gehe die Treppe zu meinem Zimmer hinauf, nehme meinen Wintermantel von der Garderobe, hänge ihn wieder zurück. Ich würde gern Stefan anrufen und ihn fragen, wie die Begegnung verlaufen ist, aber ich traue mich nicht mehr ans Telefon. Ich bin eingeschlossen in diesem Haus, in mir, in der selbst verursachten Unumkehrbarkeit der Verhältnisse. Ein paar Bücher liegen noch auf dem Boden. Ich hebe eins auf. Während ich irgendeine

Seite aufschlage, rede ich mir ein, dass die Abbildung, die zu sehen sein wird, etwas mit der Situation zu tun hat, in der ich mich befinde. Ich schaue in das Buch und sehe die Reproduktion eines Gemäldes aus der Romantik, *Der Nachtmahr* des Schweizer Malers Füssli. Eine junge Frau in einem dünnen Nachtgewand schläft mit nahezu pathetischer Hingabe. Auf ihr hockt der Teufel, er blickt lüstern und bedrohlich auf sie hinab. Von oben starrt noch ein gespenstischer weißer Pferdekopf mit leeren Augen wie bei einem steinernen Denkmal auf die schlafende Gestalt, die wie eine Beute daliegt. Träume ich nur und sind die Dämonen und Fabeltiere Hirngespinste, Bilder meines überspannten Gehirns? Wache ich gleich schweißgebadet auf, als Opfer meiner überhitzten Phantasie?

Was ich getan habe, musste ich tun. Es wäre mir unmöglich gewesen, die Entdeckung für mich zu behalten, die Wahrheit hat sich durch mich hindurch mitgeteilt. Ich hatte nicht die Freiheit zu schweigen, wie könnte ich dann Schuld haben? Trotzdem erschrecke ich über diese Schlussfolgerung. Die Vorstellung, dass es nicht meine freie Entscheidung gewesen sein könnte, dass eine Notwendigkeit mich, mein Handeln von außen gelenkt hat, ist mindestens so beängstigend wie die Möglichkeit von Schuld. Denn wo bleibt dann meine Freiheit?

Das Telefon klingelt. Wieder ruft die Zimmerwirtin, ihre Stimme klingt ärgerlich. Jetzt wieder dein Vater, sag ihm, sie sollen aufhören, ständig hier anzurufen.

Ich bin zu Hause, sagt er.

*

Onkel Miksa hat nach dem Krieg sein Ingenieurstudium abgeschlossen. Er wird beim Wiederaufbau der sieben Brücken von Budapest eingesetzt, die die Deutschen bei ihrem Rückzug gesprengt haben. Als Junge blickte er vom Ufer aus auf die Brücken, oder er lief darüber, aus purer Freude am Darüberlaufen. Er liebt die Brücken, den mysteriösen Kompromiss zwischen Konstruktion und Eleganz. Die sieben Brücken verbinden Pest mit dem Süden. Eine Brücke ist ein Symbol von Kontakt, von Frieden, darum haben die Deutschen sie gesprengt, alle sieben. Onkel Miksa, der wie sein Vater gern Schach spielt, sieht die Brücke als strategischen Meisterzug eines Bauern in das Feld des anderen. Eine schöne Brücke ist ein Gedicht, sagt er. Er träumt davon, die achte Brücke entwerfen zu dürfen, eine Brücke, die reine Poesie sein soll.

Aber als im Herbst 1956 der Aufstand ausbricht, ist er unheilbar krank. Trotzdem marschiert er zum Denkmal des Freiheitskämpfers József Bem mit. Er ist dabei, als Imre Nagy vor der Menschenmenge eine Rede hält. Er ist dabei, als die sowjetischen Panzer in Budapest einrollen. Er ist nicht mehr dabei, als Nagy hingerichtet wird.

Als die Grenzen noch offen waren, fuhr er zu seinem Bruder in die Niederlande, in der zweifelhaften letzten Hoffnung, geheilt zu werden. In einer Ledertasche sind die Fotoalben und das Porträt, das seine Mutter nichtjüdischen Freunden zur Aufbewahrung gegeben hatte, bevor sie in das Haus einzog, das unter dem Schutz des Vatikans stand. Er bringt die Sachen in Sicherheit, bei dem einzigen Zweig der Familie, der übrig geblieben ist, für den die Fotografierten keine Fremden sind. Denn für sie wurden all diese Fotos ja gemacht, damit die Nachfahren wissen: Ohne uns hätte es euch nicht gegeben; so sahen wir aus, wir dachten, fühlten, hofften, machten Pläne wie ihr. Wir haben gelebt. *Memento vivere.* Irgendwann wird auch von euch nichts übrig sein als ein paar Fotos in einem Album, ein Porträt. Wenn niemand mehr die Abgebildeten erkennt, sterben wir zum zweiten Mal.

*

Der Himmel ist fertig. Neben mir schaut Stefan verträumt und zufrieden auf seine Wolken. So, wie der Himmel geworden ist, bewirkt er ein falsches Gefühl der Sicherheit; ich hätte lieber einen Teufel und den Geist eines Schimmels darin gehabt.

Wir liegen schweigend nebeneinander. Ich spüre die Wärme seines Körpers; in dieser Wärme liegt eine schreckliche Kälte eingeschlossen, die Kälte seiner definitiven Unerreichbarkeit. Das Verlangen derjenigen, die ich war, bevor seine Mutter kam, um sich den Himmel anzuschauen und dem Schicksal auf die Sprünge zu helfen, dieses Verlangen ist noch immer da. Wie brennendes Gras, das sich glimmend verzehrt.

Es ist eine süße Qual, neben ihm zu liegen, ihm so nah und doch von ihm abgeschnitten zu sein. Ich kenne mich nicht in seiner Nähe, ich kenne die Mechanismen meines Körpers noch nicht, meines Körpers, dessen Gene zur Hälfte mit den seinen übereinstimmen.

Ich weiß nicht, ob ich lachen oder weinen soll, sagt er.

Was meint er, ich will es nicht wissen. Von mir aus könnte jetzt die Zeit stehen bleiben. Gemeinsam hier liegen, ehe die Dinge gesagt sind.

Ich habe einen Vater bekommen und die Frau, die ich liebe, verloren. Er sagt es zum Himmel, es klingt wie eine Anklage.

Wäre ich in einer nüchternen Stimmung gewesen, hätte es sich für mich pathetisch angehört.

Aber meine Stimmung ist alles andere als nüchtern, ich bin empfänglich für das heftigste Pathos, die größte Leidenschaft, den unerträglichsten Kummer.

Stefan schaut mich an, forschend, fordernd. Du hast doch verstanden, was ich gesagt habe, flüstert er.

Nun, da er es laut ausgesprochen hat, wird mir erst voll bewusst, dass uns eine grausame Vorsehung zusammengebracht hat, um uns zu trennen. Unsere Hilflosigkeit gegenüber dem Gesetz von Ursache und Wirkung, den Handlungen anderer und den Bedeutungen, die die Welt ihnen beimisst.

Wir schauen einander an, sind uns so nahe wie nie zuvor, und von selbst kehrt der allererste Augenblick zurück, er und ich, die auf der Schwelle seiner Studentenbude einander anschauen, dieses erste Wissen, ohne es zu wissen, draußen der Herbst, drinnen das riesengroße Bett.

Er beginnt mich zu küssen, seine Lippen fahren mit kreisenden Bewegungen über mein Gesicht. Er macht mir den Zopf auf, nimmt meine Haare in die Hände und streicht mit der Wange darüber. Seine Lippen erforschen meinen Körper, vom Gesicht zum Hals zur Brust. Ich möchte das Gleiche bei ihm machen, aber es scheint mir unmöglich, zur gleichen Zeit passiv und aktiv zu sein. Passiv genießen, was er tut, kann ich nicht, mein Verlangen nach ihm kann ich noch nicht in den Genuss des Geliebtwerdens umwandeln. Mein Körper erfährt die Berührungen in angespannter Reglosigkeit. Stefan zieht mich aus, er küsst meinen Bauch. Ich spüre, wie seine Haare auf meine Haut fallen, das macht mich ungeduldig. Ich will es, jetzt, ich will, dass das Bett knarrt wie damals mit Diana und Merie.

Er reißt sich die Kleider vom Körper und wirft sie neben das Bett, ich höre sie mit einem Klirren der Gürtelschnalle aufkommen. Ich wage ihn nicht anzuschauen. Ich blicke auf die Wolken, aus meinem Himmel müssten jetzt Trompeten und Posaunen erschallen; ein Gefühl von ausgelassenem Übermut überkommt mich, ich will alles tun, um ihm zu gefallen, ich will alles.

Ich kann es nicht, sagt er heiser. Sein Kopf sinkt auf meine Brust.

Meine Hand sucht sein Gesicht. Es ist nass zwischen seiner Wange und meiner Brust. Ich streichle seine Haare. Wie gern würde ich nun selbst aktiv werden, aber seine Worte stehen sofort wie eine Mauer zwischen uns.

Mein Körper beginnt unwillkürlich zu zittern. Mir wird kalt, ich fröstle, ich ziehe ein Stück Bettdecke über uns. Ich habe immer gewusst, dass ich das Gute nicht verdiene, auch wenn ich nicht weiß, warum. Was anderen in den Schoß fällt, was sie nicht einmal zu schätzen wissen, wird für mich unerreichbar bleiben.

Er rollt sich von mir ab, er hebt die geballte Faust zu unserem Himmel. Verdammt, ruft er, verdammt.

Draußen, der Verkehr. Draußen, die Welt. Was der Himmel zusammengefügt hat, hat die Welt geschieden.

Bett

Mein Vater wird auf dem jüdischen Friedhof in Pest beerdigt.

Wir besuchen den Rabbi, der ein Restaurant für koschere Speisen besitzt. Er sagt, das Grab der Großeltern meines Vaters (die schöne Elza und Jakob mit dem schwarzen Bart) befinde sich dort, auf diesem Friedhof, darum könne auch er dort bestattet werden. Denn die, die während ihres Lebens in demselben Bett schliefen, erklärt der Rabbi, dürften auch das Grab miteinander teilen. Diese Regel wird großzügig ausgelegt, außer Mann und Frau umfasst sie auch Eltern und Kinder und sogar Großeltern und Enkel. Auch er wird, wenn es soweit ist, im Grab seines Großvaters beigesetzt werden, der aus Tarnopol in Galizien stammte und auf dem Markt am Teleki László tér Nähutensilien und Knöpfe verkaufte. Die jüdische Regel für den letzten Ruheplatz der Toten passt gut zu der ungarischen, die besagt, dass ein Ungar seine Staatsbürgerschaft nicht verliert, wo auf der Welt er auch lebt, und dass er immer im Land begraben werden darf, sogar noch seine Kinder und Enkel.

Das eröffnet auch uns neue Perspektiven, grinst Stefan. Seine Bemerkung stört mich. Von uns beiden bin ich, auch wenn ich dafür tief in der Erinnerung graben muss, die Einzige, die als kleines Kind manchmal in Vaters Bett lag.

Wir sind im Hotel Astória abgestiegen, in zwei aneinander grenzenden Zimmern. Der Tabaktempel, in dem meine Großeltern geheiratet haben (wie ein Feuer sah es aus, all das rote Haar), liegt gleich um die Ecke. Wir beerdigen ihren ältesten Sohn. Nun, da ich im alten Judenviertel von Pest bin, möchte ich die Laubengangwohnungen an der Dob utca sehen (in diesem Innenhof vermengen sich Gerüche und Geräusche, es ist wie ein kleines Jerusalem). Bevor er mir für immer entgleitet, möchte ich ihn und seine Mutter noch einmal zurückholen. Ich möchte wissen, welche Bilder mein Vater jahrelang so heftig verdrängt hat, dass er im hohen Alter eine Wallfahrt nach Budapest machen musste, um sie wieder zu finden.

Durch ein Natursteintor mit schweren Holztüren gehen wir in den Innenhof. Sie waren aus einem armseligen Dorf in Mähren gekommen, sage ich, es war nur ein Fleck auf der Landkarte. Ich erzähle Stefan alles, was ich noch weiß. Er nickt aufmerksam, als letzte Ehrerweisung an seinen Vater hört er sich dessen Vorgeschichte an.

Mein Vater hat mit ihm nie darüber gesprochen. Statt des einen Baums von Onkel Miksa stehen hier zwei Bäume. Hat er sich geirrt? Oder sind es zwei andere, zwei neue? Das Gelb der Häuser ist schmuddelig und blättert an vielen Stellen ab, das verwitterte Holz der Fensterrahmen und Türpfosten scheint durch die braune Farbe hindurch. Mein Blick gleitet über die Fassaden. Sie wohnten im ersten Stock, aber wo? Wenn doch mein Wunsch sie dazu bringen könnte, sich zu zeigen, durch die Zeit hindurch. Wenn die Materie Erinnerungen an Menschen und Ereignisse speichern kann, enthalten diese Fassaden, Laubengänge, Fenster und Türen in feinstofflicher Form noch die Erinnerung an ihr Bildnis bis zum Tag ihrer Hochzeit. Aber sie geben sich keine Blöße. Sie schweigen und erscheinen gleichgültig gegenüber denen, die dort gelebt haben. Die Vergangenheit offenbart sich uns nicht, wir sind ausgeschlossen, uns hat man in sicherere Zeiten geschoben. Von einer morschen Kiste aus belauert uns eine weiße Katze. Sie macht einen Buckel. Ich gehe auf sie zu, strecke die Hand aus. Ich locke sie mit Lauten, die ich für Katzen reserviert habe, aber ihr Buckel wird noch höher. Sie ist durch und durch Misstrauen, bereit zu fliehen.

Hätten sie nur etwas mehr von diesem Misstrauen gehabt.

Gehen Sie nicht dahin, hatte der Rabbi gesagt, vom Gozsdu udvar ist nichts mehr übrig. Er ist nicht einmal auf dem Stadtplan verzeichnet, den Sie da haben. Trotzdem erklärt er uns den Weg. Es muss eine Art Gasse zwischen der Dob utca und der Király utca sein. Erst als wir dreimal daran vorbeigelaufen sind, finden wir das verschnörkelte, schmiedeeiserne Tor. Ein breiter, dunkler Gang mündet in einen rechteckigen Innenhof, *Épület I* steht auf einer der Mauern. Haus I, übersetzt Stefan, im Wörterbuch blätternd. Zu beiden Seiten verweisen Flügeltüren und Fenster, manche zugemauert, auf die Läden aus besseren Zeiten. Art-déco-Ornamente lassen ahnen, dass es einmal eine moderne Ladenpassage war. Jetzt ist alles verlassen, bis auf einen mageren Hund, der sich niedergehockt hat und sein Geschäft verrichtet. Zu beiden Seiten des Eingangs von *Épület II* liegen Steinkugeln in der Größe von Wassermelonen auf dem Boden. Gemüse hat ihr Vater hier verkauft. Knoblauch. *Fokhagyma!,* rief sie, dieses Wort habe ich mir gemerkt. Hier irgendwo stand sie, ohne zu ahnen, dass neunzig Jahre später ihre Enkelin vorbeikommen würde, um sie zu suchen.

Épület III, Épület IV, Épület V. Ich stehe in der Mitte vor *Épület V*. Links und rechts wiederholen sich gleich aussehende Gänge und Innenhöfe, werden immer kleiner wie das sichtbar gewordene Echo eines Quadrats. Ich drehe mich um die eigene Achse, und mir wird schwindlig. Ich habe das Gefühl, dieses Bild zu kennen. Aus einem Traum? Diese endlose Wiederholung, woran erinnert sie mich?

Komm, winkt Stefan.

Das Haus in Lipótváros sieht noch immer so aus, wie Onkel Miksa es beschrieben hat (solche Häuser werden nicht mehr gebaut, es gibt keine Fachleute mehr, die das können). Die Wohnung nahm die gesamte zweite Etage ein. Ein koketter, halbrunder Balkon vor den Glastüren des Elternschlafzimmers, ein sechs Bogenfenster breiter Balkon vor dem Wohn- und Esszimmer. Dazwischen das Fenster im Zimmer meines Vaters, durch das er seinen Bruder und dessen Freunde auf der Straße spielen hörte, während er Cello üben musste (dir ist etwas Großes beschieden). Wir laufen durch seine Straße. Stattliche Häuser aus dem neunzehnten Jahrhundert, manche davon mit üppigem Stuck. Auf der Höhe des Parlamentsgebäudes erreichen wir die Donau, wo der vorbeirasende Verkehr die Geschichte des Ufers auswischt. Dem Fußgänger bleibt ein kleiner Grünstreifen direkt am Wasser. Es ist schon spät am Nachmittag, Sonnenlicht hüllt die Hausfassaden in eine antike

Glut. Das Wasser des Flusses aber ist dunkel. Was für eine Farbe? Keine Ahnung. Dunkel.

Wir gehen in Richtung der Kettenbrücke. Warte, sage ich, lass uns hier einen Moment stehen bleiben. Stefan nickt. Er weiß, warum. Vom Ufer aus blicken wir über das Wasser. Ich weiß viel von dieser Nacht, und doch weiß ich nichts. Das Wasser der Donau ist dunkel und unergründlich. Auf der anderen Seite ragt der Schlossberg auf, Turmspitzen stechen in die Luft, Symbole kirchlicher und weltlicher Macht. Dies war das Letzte, was sie sahen. Oder war der Schlossberg in jener Nacht unsichtbar? Waren sie noch im Stande, etwas wahrzunehmen, außer ihrem von Angst überfluteten Unglauben gegenüber dem Absurden?

Ich packe Stefans Arm und sage, ich glaube, dass die Hinterbliebenen nie trauern konnten. Weil es zu schlimm, zu unfassbar war. Dass sie dieses Unvermögen an die nachfolgenden Generationen weitergeben. Die müssten vielleicht ihr eigenes Ritual erschaffen. Um endlich wirklich trauern zu können, um die Kette zu durchbrechen.

Stefan antwortet nicht. Diese Problematik ist zu spät in seinem Leben aufgetaucht. Die einzige Trauer, die er empfindet, ist die um den Tod seines Vaters.

Dort ist die Brücke von Graf Széchenyi. Mein ganzes Leben habe ich Brücken zu meinem Vater gebaut. Er hat sich meiner Liebe entzogen, in Stefan liebe ich ihn.

Wir trinken Tokaier aus hohen, schmalen Gläsern. Ringsum der altmodische Chic von rosa Marmorsäulen und Spiegeln, von verschnörkelten Goldrändern und Lüstern aus venezianischem Glas. Viele alte Damen. Ein Glas nach dem anderen wird vor mir auf den Tisch gestellt, das flüssige Gold versöhnt mit dem Tod und mit dem Leben. Wir ziehen in das benachbarte Restaurant um und bestellen Huhn mit einer Füllung aus Nüssen und Rosinen. Noch mehr von diesem Wein. Er sagt, dass ich schön bin, dass ich in diese Stadt passe.

Du auch, sage ich, wir stoßen lachend darauf an. Ist das mein Bruder? Ja, er sieht meinem Vater ähnlich, sieht aus wie dieser, als ich achtzehn war.

Sie hatten ein freundschaftliches Verhältnis, all die Jahre. Die Musik hat es ihnen erleichtert. Sie besuchten Konzerte oder hörten sich bei Stefan neue Schallplatten an, verglichen verschiedene Aufführungen miteinander. Stefan weigert sich, die Last der stellvertretenden Schuld auf sich zu nehmen, er ist ein unbefleckter Sohn. Vor meiner Mutter konnten wir es bis zu ihrem Tod geheim halten. Es hätte ihr den Gnadenstoß versetzt, darin muss ich meinem Vater Recht geben.

War ich eifersüchtig? Er war ein Vater, der nachdrücklich anwesend war in seiner Abwesenheit. In der Stille, die er um sich verbreitete, schien er um die Anhänglichkeit zu flehen, die er abwies. Ich stand ihm mit leeren Händen gegenüber. Ich hätte einen Kopfstand gemacht, wenn es geholfen hätte, ich hätte alles für ihn getan, wie im Märchen von der Prinzessin, die nicht lachen konnte. Aber er wollte nicht einmal, dass ich mich auf seinen Schoß setzte. Es belastete mich, ich sah, wie meine Mutter darunter litt. Jeden Tag lebte er von uns weg, als seien wir nicht der Mühe wert. Alle Zärtlichkeit, zu der er fähig war, richtete er auf das verdammte Cello. Lieber hätte ich einen Vater gehabt, der mich schlug, wie Diana.

Für seinen Sohn war er in gewisser Hinsicht durchaus vorhanden. Warum nicht für mich? Weil ich nur eine Tochter bin? Weil ich ihn zu sehr an sie erinnerte? Weil es zweimal eine Frau war, die ihn in ihrer Gewalt hatte? Ich hätte einen Kopfstand gemacht, wenn es geholfen hätte.

Verdammt schön, diese Stadt, sagt Stefan, ich verstehe nicht, wie er aus Budapest weggehen konnte. Wie konnte er es seiner Mutter verübeln, dass sie ihn in die Musik trieb, obwohl er, wie ich ihn kenne, ohne Musik nicht leben konnte?

Irgendwann hätte er sich bestimmt mit ihr versöhnt, erwidere ich, wenn der Krieg nicht gewesen wäre, und die Affäre mit einer Frau.

Und mit was für einer Frau! Er lacht, Hohn klingt in seinem Lachen mit.

Bei dieser Frau lösen sich alle Pfade im Nichts auf, die Worte bleiben einem im Hals stecken. Man trinkt einen Schluck Tokaier und noch einen Schluck und lässt sie langsam hinabgleiten.

Lange, nachdem ich es zum letzten Mal gehört habe, erreicht mich noch sein klägliches Andante. Das Geräusch scheint von dort zu kommen, wo nur im Geiste Musik gemacht wird, ein verzögertes und sonores Streichen auf meinen überempfindlichen Nerven. All die Dinge schwingen darin mit, die ich nicht wissen will, die Geheimnisse anderer, die mich nichts angehen, die zerstobenen Gefühle derer, die nicht mehr da sind, Sandstürme, die alles mit Vergessen bedecken. Ich höre, wie tote Finger geschmeidig gehalten werden, ich höre die Vergeblichkeit eines Andante ohne Publikum, eines Andante, das sich beim ersten Sonnenlicht verflüchtigt. Verschwitzt fahre ich hoch, ein Sonnenstrahl scheint mir durch den Vorhangspalt direkt ins Gesicht, stechender Kopfschmerz an den Schläfen, ein pulvertrockener Mund. Was für Zustände, sich so kurz vor der Beerdigung zu besaufen.

Im Badezimmer trinke ich drei Gläser Wasser. Es schmeckt etwas seltsam. Kommt es aus der Donau?

Ich kann mir vorstellen, dass ihm hier das Herz in die Hose rutschte, sage ich, so viel Prunk, das weckt zu hohe Erwartungen.

Wir gehen durch die Musikakademie, die Liszt selbst gegründet hat und die er, von seinem Thronsessel über dem Eingang aus, mit misstrauischem Blick vor eifrigen Schülern ohne Talent und talentvollen ohne Eifer bewacht. Um uns herum stilisierte Opulenz, die in meinem Reiseführer als barocker Jugendstil bezeichnet wird. Die Wände und achteckigen Pfeiler in der Halle sind aus schwarzem, geädertem Marmor mit Gold. Wir gehen einschüchternde Treppen hinauf, ich spüre das Gewicht eines Cellos auf dem Rücken. Im ersten Stock rosa-braun geäderter Marmor, kombiniert mit blau-grünen Kacheln und Gold, wieder Gold. Durch zwei Türen gelangt man in einen Konzertsaal mit einer riesigen Orgel. Hier saß er, zog Grimassen und schnaubte, unter dem tadelnden Blick seiner Mutter. Auf einem Fresko zwischen den beiden Eingängen erquicken sich Männer und Frauen in faltenreichen Gewändern an einer Quelle. Den Spruch hatte ich vergessen: *Wer das Leben sucht, macht eine Wallfahrt zur Quelle der Kunst.*

Dieser Tempel der Musik, in dem keine Stümperei geduldet wird, wurde im Jahr 1907 fertig gestellt, acht Jahre vor der Geburt meines Vaters. Ich beginne den Ehrgeiz seiner Mutter ein wenig zu verstehen. In der Welt der Musik etwas zu bedeuten, am besten noch Wien zu übertreffen, war ein nationales Streben. Meine Großmutter war ein Kind ihrer Zeit.

Wir folgen seinen Spuren durch die Andrássy ut, seinen Heimweg. Hohe Bäume werfen ihre Schatten auf ihn. Er geht an der Oper vorbei, noch so ein Ort der musikalischen Verschwörung. Die ihm auferlegte Pflicht, das Höchste zu erreichen, muss ihm jede Freude am Spielerischen, jede Initiative geraubt haben. Seinem Bewusstsein wurden die Flügel gestutzt, vom Emporsteigen und Wegfliegen kann er nur träumen, wenn er sich einen Moment vergisst. Nichts ist so mörderisch wie das Streben nach Perfektion. Es zermürbt ihn, bis er nicht mehr weiß, wer er ist, wer er hätte sein können. Ohne dass es ihm bewusst ist, keimt die Rebellion in ihm auf.

Am Abend vor der Beerdigung trinken wir Mineralwasser zum Essen. Aus Pietät vor dem, was kommt, aus Reue über den vorigen Abend, vielleicht aus beiden Gründen, trinken wir *kristályvíz* statt Tokaier. Danach sitzen wir noch lange im Lokal, zögernd, die Nacht vor uns hinausschiebend. Konnte Graf István Széchenyi einschlafen, in der Nacht zuvor? Ich denke an den Tod meiner Mutter, vor fünf Jahren, »Embolie eines Herzkranzgefäßes infolge von Arteriosklerose«. Die medizinischen Fachausdrücke für den einen verhängnisvollen Augenblick, in dem ihr Herz zu schlagen aufhörte, verschleiern die wahre Ursache. Ich denke an das Unvorstellbare, an die Unfähigkeit der Lebenden, es zu begreifen.

Ich werde ihn vermissen, sage ich.

Lächelnd sagt er, dass ich nun eine Waise bin. Dass ich nun den Ballast der Vergangenheit abwerfen kann, all die Tonnen Trübsal, mit denen niemandem gedient ist. Ich frage mich, wie er dazu kommt, eine so herzlose Bemerkung zu machen, ausgerechnet jetzt, ich frage ihn frostig, wie er das meint. Es gibt nun niemanden mehr, auf den du dich berufen kannst, sagt er, du bist nun allein für dein Wohl verantwortlich. All die Schuldgefühle in unserer Familie, sie sind wie ein Bumerang, derjenige, der ihn wirft, wird selbst davon getroffen. Und bei dir ist es vielleicht noch schlimmer als bei allen anderen, du schleppst das Schicksal der ganzen Familie auf deinem Rücken, sagt er mir direkt ins Gesicht, ohne zu zwinkern. Er liest mir die Leviten wie ein Bruder, wie jemand, der sich selbst so betroffen fühlt, dass er die schlimmsten Dinge zu sagen wagt. Und weißt du, was sich hinter all den Schuldgefühlen verbirgt?

Ich starre ihn an, kann kein Wort herausbringen

und schüttle nur den Kopf. Warum greift er mich an, ich brauche doch Trost, den Arm eines großen Bruders um die Schultern. Es könnte durchaus sein, dass ich weinen muss, wenn ich diesen Trost jetzt nicht bekomme.

Wut, behauptet er, Wut, die dich daran hindert zu leben, wirklich zu leben.

Auf beide Ellbogen gestützt, beugt er sich vor und schaut mich ironisch an. Weißt du, welches Ritual es geben müsste?, fragt er.

Nein, sage ich beleidigt. Ich bin tief beleidigt.

Ein Ritual, um dich von all der unterdrückten Wut zu befreien!

Bestürzt schaue ich ihn an. Für wen hält er sich eigentlich? Er ist erst im Leben meines Vaters erschienen, als er einundzwanzig war. Woher nimmt er den Mut für all diese Urteile? Vulgärpsychologie, bringe ich heraus und wende das Gesicht zum Fenster. Ich schaue hinaus, in die Dunkelheit der Stadt, die keine wirkliche Dunkelheit ist. Gleich breche ich in Tränen aus, das gönne ich ihm nicht.

Auch wenn du wütend bist, bist du noch schön, sagt er und greift nach meiner Hand.

Ich schlucke. Widerlich, sage ich heiser, das ist ein widerliches Klischee aus einem Groschenroman. Aber während ich es sage, vergeht meine Empörung, sie verschwindet unter seiner Berührung. Es ist seine Hand, die auf meiner liegt, seine lebendige Hand auf meiner lebendigen Hand. Ich lache. Tränen rinnen mir über die Wangen. Er streichelt meine Hand, hat plötzlich ein ernstes Gesicht. Ich frage ihn, wie er dazu kommt, unsere Familie in so einem Licht zu sehen. Wie wir in unserer Familie miteinander und mit der Vergangenheit umgegangen sind, lässt sich das nicht auf zahlreiche Weisen interpretieren?

Wenn du so argumentierst, seufzt er, schwimmst du ewig in einem Meer von Möglichkeiten herum. Es gibt Fakten, und es gibt Gefühle. Die Philosophie hat zwar große Anstrengungen unternommen, die Existenz von Fakten zu unterminieren, doch es ist trotzdem sinnvoll, das Faktum als uneheliches Kind der Wahrheit in Ehren zu halten, als Instrument, um sich Klarheit zu verschaffen. Die Recht sprechende Gewalt macht das auch, mit dem Gesetzbuch in der Hand, weil es keine Alternative gibt.

Du willst doch wohl kein Seminar abhalten, stöhne ich.

Er mache die Dinge nicht schwieriger, als sie seien, das solle ich nicht denken, im Gegenteil, er mache sie einfacher. Als Kind habe er sich selbst beigebracht, Fakten und Gefühle voneinander zu trennen. Seine Mutter hat, als es moralisch verwerflich war, mit einem Deutschen geschlafen, das war ein Faktum. Aus dieser Verbindung ist er hervorgegangen, auch das schien damals ein unleugbares Faktum. Wie die Nachbarn, die Klassenkameraden, ja sogar einige Lehrer auf diese Fakten reagierten, fiel unter den Nenner Gefühle. Ein Brei von Gefühlen vor einem historischen, politischen, moralischen Hintergrund, der nichts mit ihm persönlich zu tun hatte. Für ihn war es lebenswichtig, es so zu sehen. Ich habe nichts verbrochen, das hatte er sich selbst eingeschärft, mit mir, so wie ich bin, hat es nichts zu tun.

Aber die Fakten, wende ich ein, sind doch alles andere als aufmunternd?

Es kommt darauf an, was unser Gefühl mit den Fakten macht, sagt er, an sich sind sie neutral. Die Fakten stehen außerhalb unserer Gefühlswelt, unerreichbar, unveränderlich.

Wie klassisch männlich, Gefühl und Verstand voneinander zu trennen! Das Licht der Aufklärung erstrahlt und beendet das düstere Mittelalter, scherze ich, um zu verbergen, dass ich das Gefühl habe, auf morastigem Boden zu stehen. Was er sagt, scheint zu stimmen, warum sträubt sich dann alles in mir dagegen? Schuldgefühle können eine versteckte Form von Mitleid sein, wehre ich mich.

Schon möglich, meint er, es ist alles sehr menschlich, solange man nicht daran zu Grunde geht. Seine Mundwinkel ziehen sich hoch. Er streichelt mir über die Wange. Was deine Familie angeht, sagt er, glaub mir, ich kenne die Fakten. Vielleicht weiß ich sogar mehr als du. Ich verstehe allmählich die gegenseitigen Beziehungen.

Manche Fakten sind nicht unabänderlich, sage ich leise. Du hast einen deutschen gegen einen jüdischen Vater eingetauscht.

Er nickt. Du hast Recht, eigentlich kann man die Fakten in zwei Kategorien einteilen. Vater ist tot, das ist ein Faktum, an dem sich nicht rütteln lässt. Aber die Tatsache, dass ich als Kind einen deutschen Vater hatte, wurde zu einem bestimmten Zeitpunkt durch eine andere Tatsache ersetzt, aus dem deutschen wurde ein anderer Vater mit, sagen wir, besseren Überzeugungen. Etwas, was lange als Faktum gegolten hat, lässt sich ersetzen durch etwas, das einen höheren Wahrscheinlichkeitsgrad hat.

Hast du nie daran gezweifelt, frage ich, ob Vater auch tatsächlich dein Vater war? Ich meine, hundert Prozent Gewissheit hatten wir nie.

Dann wäre ich verrückt geworden, ruft er aus. Zweifel und Schuldgefühle, das ist zermürbend. Ihr fandet, ich sähe ihm täuschend ähnlich, ich meinte das auch, und Vater ebenfalls. Genügte das nicht als Beweis? Ich habe es akzeptiert, ich habe beschlossen, dass es so war. Ich wollte es.

Eine bewusste Entscheidung, sage ich.

Er lächelt, aber hinter diesem Lächeln ist ein Anflug von Unsicherheit erkennbar. Oder irre ich mich, und es ist eine Projektion meines Unvermögens, von irgendetwas vollkommen überzeugt zu sein?

So bleiben wir sitzen, er, der mir über die Wange streichelt, ich, die nach der Hand greift, die mir über die Wange streichelt. Du brauchst es nur zu wollen, flüstert er. Die meisten Menschen wollen nicht, sie sind an ihre Gewissensbisse gefesselt, ihr Gekränktsein, ihre unterdrückte Wut, ihre Unsicherheit. Sie fragen sich, was an deren Stelle treten würde, wenn sie diese Gefühle losließen. Sie haben Angst.

Wie mein Vater, sage ich.

Wie Vater, bejaht er.

To the jewish cemetery please, sagt Stefan. Der Taxifahrer hat tatarische Züge. Als ritte er auf einem Pferd über die Puszta, rast er in wilder Fahrt aus dem alten Zentrum in einen Teil der Stadt, der vor Reiseführern versteckt gehalten wird. In einer scharfen Kurve werden wir gegeneinander geworfen. Das Auto biegt in eine staubige Straße ein. Parallel dazu verläuft ein düsteres altes Gleis wie auf einem Gemälde von Kiefer. *Cemetery closed,* sagt der Taxifahrer, *other time American wants to Jewish cemetery, closed, fence closed.* Heute ist geöffnet, sagt Stefan, heute ist eine Beerdigung. Der Fahrer zuckt lakonisch die Schultern und seufzt. Er hält an und deutet mit dem Kopf auf das Tor. Wir bezahlen und steigen aus.

Das Tor ist verschlossen. Mein Vater erwartet uns, er hat Zeit. Stefan brüllt in allen Sprachen der Welt, ob jemand da ist. Eine junge Frau mit einem Schlüsselbund erscheint. Auf unsere Frage, wo der Tote aufgebahrt sei, lächelt sie. Mit einer großzügigen Geste deutet sie auf den Friedhof, als schenke sie ihn uns. Wir gehen in irgendeine der schmalen Alleen. Aber das hier ist längst kein Friedhof mehr! Es ist ein Schlachtfeld zerbrochener und abgesackter, gegeneinander lehnender Grabsteine, Säulen, Obelisken. Die Zeit hat die traurige Totenstadt wohlwollend mit Efeu und wildem Hopfen bedeckt, mit Sträuchern und hohen Bäumen, zwischen denen Weinranken mit rotem Laub wie Lianen herabhängen. Wir gehen eiligen Schrittes, schauen uns unruhig um. Warte, warte, wir kommen. Nur die Gräber zu beiden Seiten der Kastanienallee, über die wir laufen, sind von Bewuchs befreit. Sauber gekratzt. Ein steinerner Schwan stirbt für immer auf dem Grab von Fleissig Sandor, 1869–1939. Gerade noch rechtzeitig gestorben. Neben ihm liegen Eisler Samuel, Böhm Klara. Daneben steht ein Grabstein mit einem hebräischen Text zwischen zwei Säulen, auf denen ein gewölbtes Tympanon ruht, geschmückt mit einem Ölzweig.

Kommst du?, ruft Stefan. Gehetzt biegen wir in eine Allee nach der anderen ein, an baumbestandenen Flächen voller Gräber entlang, von denen zwischen dem Laub nur Einzelheiten in einem Sonnenstrahl aufleuchten. Spitzer Mór, Klein Pinkas, Rózsavölgyi Katinka. Mein eigener Name! Auf einem Obelisken aus schwarzem Marmor! Als läge ich dort schon seit ewigen Zeiten und diejenige, die nervös hier entlanghetzt, sei eine Fremde aus einer abstrakten Zukunft. Mein Name, rufe ich Stefan zu, um mich zu vergewissern, dass ich existiere. Aber er ist mir zwanzig Schritte voraus, er lässt sich nicht ablenken. Die Fakten, bleib bei den Fakten. Es gibt nur eine Tatsache, die heute wichtig ist, wir beerdigen unseren Vater.

Kastanien und gelbe Blätter liegen auf dem Pfad, Eidechsen huschen weg, Zweige wiegen sich im Wind. Überall ist Bewegung, die den Tod betont. In dem Dreieck zwischen der Dohány, Kertész und Király utca wurden sie geboren, im Café Herzl verkuppelt, im Tabaktempel miteinander verheiratet, und hier liegen sie im Würgegriff von Baumwurzeln begraben. Kommen keine Angehörigen aus Amerika, um die Gräber zu pflegen? Über den Steinplatten schwebt die Empörung der Toten wegen der schändlichen Vernachlässigung.

Müssen wir ihn hier begraben, ist das sein letzter Wille?

Weit vor mir sehe ich Stefan um eine Ecke biegen. Beeil dich, winkt er. In meiner Wahrnehmung verschiebt sich etwas. Durch meine Bestürzung hindurch drängt sich eine tragische Schönheit in den Vordergrund, die sich über das persönliche Schicksal derer, die hier liegen, erhebt. Inmitten umgestürzter Obelisken, Bruchstücke hebräischen Textes, Efeu um steinerne Menora und sterbende Schwäne sind Natur und Kultur so miteinander verwoben, dass der diffuse Zauber eines zerstörten Troja davon ausgeht. Welch ein Kontrast zu der strengen Uniformität moderner Friedhöfe in meinem Land, aus denen der Tod weggejätet wurde. Plötzlich höre ich wieder seine Worte – vor ein paar Jahren sagte mein Vater, der sonst nie zu irgendetwas seine Meinung äußerte: Wie die Niederländer leben, so werden sie auch begraben, in Reihenhäusern.

Stefan kommt angerannt. Wir sind hier falsch, sagt er atemlos, dieser Friedhof wird nicht mehr benutzt. Er entfaltet den Stadtplan, den er immer bei sich hat, selbst heute, in der Innentasche seines korrekten Anzugs. Schau, zeigt er, wir sind auf dem Kerepesi Temetö, einem relativ kleinen Friedhof. Hier sind auch die Bahngleise eingezeichnet, die wir gesehen haben. Wir müssen –

sein Finger gleitet nach Osten – zum Új Köztemetö.

Aber das ist ein ganzes Stück von hier entfernt, protestiere ich.

Genau, sagt er, wir müssen uns beeilen.

Es kann doch nicht wahr sein, dass wir zu spät zu seiner Beerdigung kommen. Zeitlebens war er ungreifbar, und nun wird er sich uns auch bei der Bestattung entziehen! Ist das eine billige Posse, mit den falschen Hauptdarstellern? Taxi, Taxi, fragen wir die Frau, die uns das Tor wieder öffnet. Teleki László tér, sagt sie und zeigt uns die Richtung. Wieder dieses amüsierte Lächeln, das ich nun besser einordnen kann. Wir rennen zurück, an den alten Gleisen entlang, die am Anfang der Straße enden. Ich habe etwas gegen Gleise, die abrupt aufhören.

Mir fällt ein, dass der Rabbi vom Teleki László tér gesprochen hat, als er erzählte, dass sein Großvater aus Tarnopol in Galizien dort Knöpfe und Nähutensilien verkaufte. Dass eine Straßenbahnlinie diagonal über den Platz verlief und den Markt dort teilte, auf der einen Seite der Flohmarkt, auf der anderen der Gemüsemarkt. Dass es in Nummer 22 eine kleine Synagoge gab, dass sie bettelarm waren und in der Lujzagasse wohnten. Es war ein polnisches Viertel, er konnte sich noch gut daran erinnern. Wir mussten seine Rückschau taktvoll unterbrechen, um ihm einige praktische Fragen zu stellen.

Es gibt noch immer einen Markt auf der einen Seite der Gleise. Auf der anderen Seite ist jetzt eine kleine Grünanlage, in der Männer gelangweilt herumstehen. Wir kommen an einem übervollen Müllcontainer vorbei. Plastiktüten werden vom Wind in alle Richtungen geweht. In einem Baum hängt eine Strumpfhose, darunter steht ein herrenloser Kinderwagen, ein Modell, das ich nur von alten Fotos kenne. Ein Mann streckt den nackten Arm in einen Abfalleimer, holt etwas heraus, riecht daran und steckt es sich in den Mund. Eine Synagoge sehe ich im Vorübergehen nicht, nur schlecht in Stand gehaltene Häuser. Hier haben die Allerärmsten gewohnt. Offenbar ist es auch heute noch so. Eine Reihe klappriger Taxis wartet an einer Ecke der Grünanlage, keuchend steigen wir ein.

Noch etwas Geduld, in einem rostfleckigen Taxi vom Teleki László tér kommen wir zu dir. Ich bin eine Fremde, trotz aller Versuche, mir die Stadt meines Vaters und meiner Großmutter anzueignen. Ich habe mich von der Schönheit der Innenstadt und der Patina der Geschichte täuschen lassen. Gewerbegebiete, Hochspannungsmasten, Bahngleise und graue Mietskasernen aus den Tagen des Kommunismus folgen einander in einem hämmernden Stakkato, als ich aus dem Fenster des Taxis schaue. Ich verliere den Kontakt zu der Welt, die ich gerade noch so eifrig rekonstruiert habe. Alles ist unwirklich. Ich sehe eine Spur von etwas, was schlimmer ist als Trauer. Es ist die Rückseite der Welt, die immer im Schatten bleibt. Wen es dorthin verschlägt, der wird davon ergriffen, der Schatten fällt auf ihn und lässt ihn nie mehr gehen. Hier herrscht die absolute Gleichgültigkeit, es gibt keinen Schutz, es ist kalt für jeden.

Ich spüre, dass Stefan mich von der Seite ansieht. Er drückt meine Hand. Die Wahrnehmung, beängstigender als all das andere, verflüchtigt sich. Der katholische Teil des Friedhofs kündigt sich an. Steinmetze beiderseits der Straße wie Wächter an der Himmelspforte. Unbearbeitete Gesteinsbrocken und Grabsteine aller Sorten und Maße, ein Blumenmarkt voller Buketts und Kränze, alles, was wir unseren teuren Toten mitgeben auf ihrer letzten Reise, zusammen mit dem Wunsch, dass sie etwas Schönes erwarten möge, etwas Besseres als hier auf Erden. Es wimmelt von Menschen, ist heute Allerseelen? Ich weiß fast nichts von christlichen oder jüdischen Feiertagen, von den Motiven der Menschen, sie zu respektieren. Mit den religiösen Anwandlungen meines Vaters am Ende seines Lebens kann ich nichts anfangen.

Halt, sage ich zum Taxifahrer, Blumen, wir haben keine Blumen. Ich glaube, zu jüdischen Bestattungen nimmt man keine Blumen mit, sagt Stefan. Unsinn, sage ich, ich kaufe Blumen. Gehetzt laufe ich an den Ständen entlang. Rosen und Chrysanthemen, Chrysanthemen und Rosen. Nicht die Blumen, die ich mag. Ich entscheide mich für Teerosen und Rosen von einem blassen Orange.

Jemand, eine Abspaltung von mir ohne Gefühle, beerdigt in Budapest den Vater. Die Frau kauft alle gelben und orangefarbenen Rosen, die es gibt, und lässt sie zu einem Bukett binden. Nickt, als die Verkäuferin vorschlägt, eine Schleife darumzubinden.

Sie betreten ein weißes Gebäude in orientalischem Stil, drei Türen in der Mitte, darüber drei bogenförmige Fenster, dreimal der Davidstern in bleigefaßtem Glas. Reihen schwarz glänzender Bänke unter spärlicher Beleuchtung. Vorn auf einem Podest der Sarg, mit einem schwarzen Tuch bedeckt. All das Schwarz sagt, dass kein Zweifel möglich ist. Der Rabbi ist da, einige Mitglieder der jüdischen Gemeinde, die den Sarg tragen werden, und zwei entfernte Verwandte, Cousin und Cousine, mit denen mein Vater in den letzten Jahren Kontakt hatte. Sie haben die Begräbnisformalitäten geregelt und sprechen nur Ungarisch.

Es ist ihr unmöglich, während der Zeremonie in einer unbekannten Sprache etwas anderes als eine Art müder Verwunderung zu empfinden. Ihr Vater wird ihr genommen, von Ungarn, von jahrhundertealten jüdischen Traditionen. Sie gibt ihn aus der Hand, er hat sich selbst dem ausgeliefert, was er schließlich als seinen Ursprung betrachtete. Das Gebet des Rabbis klingt wie ein seltsamer, beschwörender Gesang aus anderen Zeiten, die Vibration von stilisiertem Trost für das, was der Verstand nicht erfassen kann. Eine Melodie der Trauer, aber auch der Hoffnung. Lasst die Toten auferstehen.

Sie ist nicht dabei, als der Trauerzug ins Freie schreitet, in den jüdischen Teil des Új Köztemetö. Trotzdem nimmt sie alles mit schmerzhafter Schärfe wahr. Obwohl hier mehr Gräber von Gestrüpp und Unkraut befreit sind, erweckt auch dieser Friedhof den Eindruck eines Schlachtfeldes, nachdem sich der Staub gelegt hat. Die Grabsteine stehen da wie Soldaten, die die Sprache verloren haben, andere sind umgestürzt, ruhen schräg an den Nachbarn gelehnt oder liegen in Bruchstücken auf dem Boden. Die Gesellschaft bewegt sich langsam durch eine Allee mit dunklen, schiefen Bäumen, Herbstlaub raschelt unter den Füßen. Vor einem Bereich mit neuen Gräbern hält der kleine Zug an. Es ist ein beängstigender Moment. Er leitet die Absolutheit dessen ein, was kommen wird. Diesen Teil der Zeremonie lässt sie lieber aus.

Sie schaut nicht auf die frische Erde, die Spaten, das Gärtnergetue der schwarz gewandeten Männer. Sie hört nicht hin. Die Kieselsteine auf dem Nachbargrab halten ihre Aufmerksamkeit gefangen; sie sind sorgfältig geordnet wie gute Wünsche. Ihr Blick schweift zu ihrem eigenen Familiennamen in Goldbuchstaben auf schwarzem Marmor. Elza. Jakob. *Er wollte immer nur das Beste,* steht darunter geschrieben. Noch sieht sie Jakob nach rechts in die Ferne starren, als müsse er über wichtigere Dinge nachdenken. Eine Äußerung von Onkel Miksa fällt ihr ein. Im Beisein des Personals sprachen seine Großeltern Deutsch.

Als sie sich unbeobachtet fühlt, stiehlt sie ein paar Kieselsteine und wirft sie auf die Erde, die den Sarg ihres Vaters bedeckt. Ein gelbes Kastanienblatt schwebt herab und bleibt auf dem Fußende liegen. Auf dem Fußende? Ja, da, wo sie seine Füße vermutet.

Wir bestellen das Essen auf mein Zimmer. Ich habe keine Lust, unten im Restaurant zu sitzen unter Hotelgästen, die nicht wissen, dass ich heute meinen Vater beerdigt habe. Du bist müde, sagt Stefan und schenkt mir ein. Hier, trink einen Schluck, auf uns, auf die Lebenden. Der Tokaier ist Schmerz- und Beruhigungsmittel zugleich, er versetzt mich in eine süße Benommenheit, eine Illusion von Frieden mit dem Gedanken des nie mehr, für immer. Der Tokaier ist ein Lebenselixier.

Eigentlich geht das nicht, sage ich, so viel trinken an einem Tag wie diesem. Es ist kein Mangel an Pietät, sagt Stefan, sondern eine Tradition. Den Genuss rauscherzeugender Mittel nach einem Begräbnis findest du in allen Kulturen. Die Trauer kommt von allein, sei unbesorgt, morgen, übermorgen. Lass uns trinken, jetzt, wo es noch geht, auch wir werden sterben. *Egészségére!* Ich bestelle noch eine Flasche.

Was heißt *egészségére*, frage ich misstrauisch. Zum Wohl, sagt er.

Ich denke über seine sonderbare Heiterkeit nach, die in krassem Gegensatz zu der ewigen Niedergeschlagenheit meines Vaters steht. Über seine Ausgeglichenheit, seinen unerschütterlichen Hang zu rationalen Lösungen, sein Verlangen, Glück für jedermann zu fabrizieren. Aus der Distanz habe ich ihn beobachtet, über die Jahre hin, manchmal auch aus relativer Nähe. So lange ich ihn kenne, hat er zwei Frauen zugleich glücklich gemacht, die eine, die bereits dabei war zu gehen, und die andere, die gerade angekommen war. Beschwörend redet er auf beide ein, durchleuchtet die Problematik der Eifersucht. Seine wissenschaftliche Erklärung lautet: eine irrelevante Emotion. Die Zeit ist auf seiner Seite, lästige Gefühle werden in Frage gestellt. Ich preise mich glücklich, dass ich weder die eine noch die andere Frau bin. Ich würde alles dafür geben, die eine oder die andere zu sein. Harmlos schlendert er durch die Leben von Frauen, er pflückt Blumen, verteilt Sträuße, mit einem Charme, der einen rasend macht. Die Argumente der Frauen prallen an seiner Beredtsamkeit, seinem Wissen ab. Ein Verstand wie Stahl, ebenso gut könnte man gegen einen Felsblock treten. Als Physiker verteidigt er, gegen die herrschende Mode, die Kernenergie, die sauberste aller Energiequellen. Er schreibt Artikel in Zeitungen und wissenschaftlichen Fachzeitschriften, verliert idealistische Freunde, gewinnt neue Freunde. Mein Vater hatte in ihm einen Kameraden. Von Stefan nahm er an, was ich ihm nicht geben durfte.

Ich leg mich ein wenig hin, sagt Stefan. Er steht mit dem Glas in der Hand auf und streckt sich auf dem Hotelbett aus. Komm, lädt mich sein Arm ein.

Es ist ein Gefühl der Wiederholung, als ich neben ihm liege. Die Erinnerung an ein Tableau vivant, hervorgeholt aus vergangenen Zeiten, geputzt mit einem antistatischen Tuch. Durch den

Überschwang, den der Tokaier bewirkt, ist das Bild lebendiger, wie von selbst geht es in die Gegenwart über. Er und ich, wir sind dieselben, es ist die Welt, die sich verändert hat. Halt mich fest, sage ich, ich habe meinen Vater begraben. Ich auch, sagt er.

Nur der Himmel fehlt hier, sagt er und blickt zur Decke hoch. Der Himmel war nur ein Vorwand, antworte ich. Er nickt. Es gab keine andere Möglichkeit, gibt er zu, wir waren zwei Königskinder, das Wasser war viel zu tief. Er wendet den Kopf und schaut mich an. Der beunruhigende Augenblick, in dem unsere Augen den anderen mustern, ihn wahrnehmen, so wie er ist, dieses erste Wissen ohne zu wissen, saust durch die Zeit, findet sich im Zimmer des Hotels Astória wieder. Es ist unabänderlich, wir erkennen, damals wie heute, das Verlangen. Das Drehbuch der Verwerflichkeit dieses Verlangens wurde schon vor langer Zeit geschrieben.

Das Wasser ist nicht mehr da, flüstert er. Er ähnelt mehr meinem Vater als sich selbst von damals. Und Königskinder sind wir auch nicht mehr, bestätige ich. Sein Finger streicht über meine Wange, all die Wangen, die sein Finger berührt hat. Sein Gesicht nähert sich meinem, seine Lippen berühren meinen Hals. Der Tokaier jagt mir das Blut bis fast unter die Haut, jede Berührung wird tausendmal verstärkt. Die Zeit wird zurückgespult, Blumen kehren in die Knospe zurück, Regen steigt auf und wird wieder Wolke, das Wasser in der Donau strömt zum Schwarzwald, die Toten erstehen auf und gehen rückwärts in ihre Häuser, wir kehren wie Lachse zurück an den Ort unserer Geburt in der Flussmündung unter dem Motto »Noch einmal, und dann sterben«.

Ich reiße mich los. Nein, bringe ich heraus, vor ein paar Stunden waren wir noch auf dem Új Köztemetö, du bist der Onkel meiner Kinder, ich bin die Schwägerin deiner Frau, deine und meine Kinder sind Cousins und Cousinen.

Ach, Kata, seufzt er, was bedeutet das nun unter der Sonne, dem Mond, den Sternen und den Planeten? Er macht eine ausladende Geste, als würden die Himmelskörper über uns an der Decke des Hotelzimmers strahlen. In dieser Geste, mit der er das ganze Firmament der Frau schenkt, die er liebt, liegen der Charme und die Verführungskünste beschlossen, denen eine Frau nach der anderen erlegen ist. Die Dinge haben die Bedeutung, die man ihnen gibt, sagt er.

Wenn wir so frei wie ein Vogel wären, ja, wende ich ein, an nichts und niemanden gebunden. Aber ich bin von dieser Erde und in meinen Bewegungen beschränkt. Ich nehme Rücksicht auf die Gefühle anderer.

Sogar wenn diese anderen tot sind?, fragt er.

Ja, sogar wenn sie tot und begraben sind.

Er schaut mich mit einem nachdenklichen Lächeln an, als würde ich ihn an etwas erinnern. Er hat etwas Hilfloses, ein anderes unwiderstehliches, bewährtes Element seines Charmes. Glaubst du tatsächlich, grinst er, dass es möglich ist, etwas, was man will, nicht zu wollen?

Bitte, flehe ich, jetzt keine Philosophie.

Deine Motive, etwas nicht zu wollen, werden von Anstand, Mitleid und Anpassung bestimmt, fährt er unbeirrbar fort. Typisch weiblich. Er nimmt meine Hände: Das bedeutet aber keine Weiterentwicklung, nur Selbstverleugnung.

Ach so, nun weiß ich es wieder, rufe ich aus. Wir sind zur Freiheit verurteilt! Wir müssen unsere angeborene Kreativität benutzen, um uns selbst zu erschaffen, aus dem Nichts, in einem ständigen Prozess der Verwandlung. Das verlangt eine bewusste Entscheidung, stets von neuem. Wer aus Angst, aus Bequemlichkeit im Bekannten hängen bleibt, erstarrt und fällt unbemerkt ins Nichts zurück. Aber ist Sartre nicht auch schon wieder überholt? Ist nicht die Machbarkeit des Lebens alles, was davon noch übrig ist, nach amerikanischem Muster?

Ich habe dich immer geliebt, flüstert er.

Warum bricht er meinen Widerstand? Ich

durchschaue doch seine gescheite Rethorik, das ganze Waffenarsenal seiner Überredungskunst?

Ich stammle, dass ich das Wort Liebe nicht in den Mund zu nehmen wage, aber dass mein Leben ohne ihn unvollständig gewesen sei. Es ist, als hätte ich meine Bestimmung verfehlt, an jeder Erfahrung hat diese Unvollständigkeit genagt.

Komm. Er schaut mich gebieterisch an. Ich will, du willst. Er zieht mich an sich. Mein Kinn ruht auf seiner Schulter, sein Kinn auf meiner. Die Nähe unserer Körper, während unsere Augen in entgegengesetzte Richtungen schauen, ist von einer nachdrücklichen Symbolik. Ich verspüre Zorn, die Dinge, die ich wollte, kamen zu früh oder zu spät. Er, der sich von mir abrollt und fluchend die Faust erhebt, beherrscht noch immer meine Gedanken. Es ist die Kraft der Bilder, die über alles entscheidet, diese Dinge sind unwiderruflich – versteht er das nicht? Das Bild, das über alles entscheidet, ist das Bild der absoluten Abweisung. Auch wenn es einen guten Grund dafür gab. Es gibt immer einen guten Grund.

Stürmisch und herrisch beginnt er mich zu küssen. Seine Finger nesteln an den Knöpfen meiner schwarzen Bluse, ein Gefühl von Gefahr überkommt mich. Meine Muskeln spannen sich, mein ganzer Körper stemmt sich dagegen, er ist mein größter Feind, mit dem ich nie, nie einig werde.

Nein, rufe ich. Ich schiebe Stefan von mir weg, ich springe aus dem Bett. Geh, sage ich dumpf und wende mich zum Fenster, bitte geh.

Kata, stöhnt er, das ist nicht dein Ernst.

Geh, wiederhole ich. Ich schaue mich nicht um. Mein Rücken ist ein Panzer, ich will mich nicht umdrehen. Draußen auf dem nassen Asphalt dieser Stadt, die ich nie ergründen werde, sehe ich die Widerspiegelung von Straßenlaternen und Autoscheinwerfern. Mein ganzes Leben ist nicht mehr als die Widerspiegelung dessen, was andere vor mir gedacht, getan und gefühlt haben. Eine bewusste Entscheidung? Was ist das, was ist es anderes als Theatralik?

Durch das Geräusch meines Atems hindurch höre ich, wie er brüsk das Zimmer verlässt. Jetzt ist auch er wütend. Ich starre aus dem Fenster, ich bin für immer verloren. Es ist mir gelungen, in jeder Lage das Falsche zu tun. Am Abend der Beerdigung habe ich mich in eine Situation manövriert, in der es unmöglich ist, gebührend zu trauern. Stattdessen bin ich in einen unpassenden Kampf verwickelt. Jetzt bin ich doppelt allein. Morgen fliegt er zurück. Ich bleibe noch, um Formalitäten zu erledigen. Um den unbekannten Cousin und die unbekannte Cousine zu treffen, jemand von der jüdischen Gemeinde wird dolmetschen. Eigentlich wäre das seine Sache gewesen, als Sohn. Dass er mir diese Verpflichtungen einfach überlässt und dass er versucht, mich zu verführen, heute, am Abend nach der Beerdigung, könnte man fast als Zeichen dafür sehen, dass er nicht der Sohn, der einzige Sohn, ist.

Dieser Gedanke ist mir noch nie gekommen, ich wage ihn nicht zu denken. Ich wage nicht an den Deutschen zu denken, von dem ich nicht weiß, wie er aussah. Die Möglichkeit, dass die Frau mit den blonden Locken vielleicht eine Vorliebe für Männer mit einem bestimmten Aussehen hatte, wage ich nicht zuzulassen. Dass Stefan sonst, außer in seiner Liebe zur Musik, in nichts meinem Vater ähnelt, beweist noch nicht, dass ich mich dreißig Jahre lang geirrt haben könnte. Diese Gedanken, die einen Abgrund von Möglichkeiten eröffnen, weise ich zurück. Ich schlage die Tür vor ihnen zu. Ich lasse sie draußen im Regen stehen, diese Projektionen meiner Frustration, meiner Angst vor Intimität mit ihm, gerade mit ihm. Wer zu spät kommt, wird nicht mehr zugelassen.

Morgen ist er für immer fort, nie mehr wird sich eine Gelegenheit ergeben. Ich werde zurückgehen zu dem Mann, mit dem ich seit fünfundzwanzig Jahren zusammenlebe. Das sind die Fakten, die Fakten, die Stefan so viel bedeuten. Das Bewusstsein einer letzten Chance, die ich nicht genutzt habe, wird mich verfolgen. Wenn ich alt und den Launen meines Körpers ausgeliefert bin, werde ich mich vor den Kopf schlagen.

Ich denke an ihn, auf der anderen Seite der Wand. Durch seine Augen sehe ich mich, werde zu Eis. In mir ist eine beängstigende Unnahbarkeit. Ich bin wie die Frau auf dem Gemälde von Füssli, die sich hinter einem scheinbar unschuldigen Schlaf versteckt, während der Teufel sich über sie beugt. Mutiger wäre es aufzuwachen und ihm in die Augen zu blicken. Ihm die Zunge herauszustrecken. So würde ich mir besser gefallen. Hätte ich doch die Kraft, das zu wollen. Keine Kraft, flüstert er mir ein, eine bewusste Entscheidung.

Ich setze die Flasche an den Mund und trinke den letzten Rest Tokaier. Ich gehe zum Spiegel. Wir schauen einander an, sie und ich. Die schwarze Bluse aufgeknöpft, die blasse Haut mit Sommersprossen, die Haare zerzaust. Ich will dich so, mit unordentlichen Zöpfen und dem Knoblauch. Ein Aquarell als sublimiertes Verlangen von jemandem, der längst tot ist. Ein stiller Ansporn liegt in ihrem Blick. Los, ich habe nicht ewig Zeit. Ich könnte weinen um sie, um mich. Meine Wimperntusche würde verlaufen, mit Kriegsbemalung im Gesicht würde ich es wagen. Los, geh. Sie schickt mich zur Tür. Wirklich? Sie nickt. Das Leben gehört den Lebenden. Vorsichtig ziehe ich die Tür auf und hinter mir zu. Noch nie kamen mir zwei Meter Teppich von unbestimmter Farbe wie ein Abgrund vor. Du könntest an seiner Tür vorbeigehen, zum Ende des Flurs, den Lift nehmen, das Hotel verlassen, du hättest dir nichts vorzuwerfen. Etwas wollen, was du nicht willst, lacht er spöttisch.

Meine Fingerknöchel klopfen schüchtern an das Holz. Fast so wie früher in der Schule, wenn mich der Lehrer aus der Klasse geschickt hatte und ich mich beim Direktor melden musste. Stefan öffnet, er steht vor mir. Ein unerwarteter Ernst, der ihn alt macht, liegt auf seinem Gesicht. Ich bin Kata Rózsavölgyi, sage ich, mein Vater spielt einen Csardas auf dem Cello, wenn man ihn darum bittet. Stefan zieht mich ins Zimmer, schiebt mit einer Hand die Tür hinter mir zu. Psst, macht er, keine Worte mehr. Komm. Komm.

Darf man alles tun? Man darf alles tun.

Komm. Komm. Steht dort im Gässchen still verträumt ein Häusele, drinnen im Bodenstübchen wohnt mein teures Reyzele. Mmmmm. Wart noch kurz, Liebster, gleich bin ich soweit. Geh noch ein paar Schritte. Eins, zwei, drei! Mmmmm. Sie springt die Stufen herab, ich nehm sie lieb in den Arm, küss sie sanft auf den Kopf. Komm! Komm! Komm!

Onkel Miksa singt, mein Vater seufzt ergeben.

Ist ihm das Lied zu läppisch, oder löst es etwas bei ihm aus, an das er nicht erinnert werden will? Trotzdem übersetzt er mir den jiddischen Text, sodass ich in meiner Sprache mitsingen kann.

Wir umarmen einander wie Schiffbrüchige, die von der Brandung an den Strand geworfen wurden. Die Momente, in denen wir einander ansahen, über die Jahre hin, und so taten, als ob wir es nicht wüssten, als ob es um etwas anderes ginge, einerlei, um was – all diese Momente fließen zusammen. Eine Libelle streift das Wasser und steigt empor. Es ist nichts, man vergisst es. Es ist alles, es existiert. All diese Augenblicke fließen zusammen, sie gehen durch Tiefen und Höhen, durch flüchtigere Regionen wieder zurück zur Erde bis da, wo die Lust unerträglich wird und wir wie Schiffbrüchige der Lust angespült werden.

Wir sind voneinander abgeglitten. Er streichelt mich versonnen, seine Finger folgen den Konturen meines Körpers, der unter seinen Händen geboren wird, vor Neuigkeit glüht, aufgeregt den Geruch aller Menschen einatmet. Jede Spannung ist von uns abgefallen, nichts muss bewiesen werden. Ich streichle ihn. Dreißig Jahre lang ist in meinen Fingerspitzen die Sehnsucht nach seiner Haut lebendig geblieben, endlich können sie sich so bewegen, wie sie wollen. Aus diesem aufgeschobenen Verlangen eignen sie ihn sich an, wie er neben mir liegt, um ihn nie mehr gehen zu lassen. Noch lange, nachdem er fort ist, wird die Erinnerung an seine Haut, sein Haar im Gedächtnis meiner Fingerspitzen, meines Mundes bewahrt bleiben.

Dann fängt alles wieder von vorn an, in Erstaunen, und mit unterschwelliger Wehmut, da erst jetzt, erst jetzt, und vielleicht nie mehr, nie mehr. Sein Körper ist mir vertraut wie mein eigener, trotzdem war er unberührbar und wird es auch wieder werden. In unserem Beisammensein liegt bereits der Abschied beschlossen. Im Licht des Abschieds bekommt die Lust eine herrliche, unerträgliche Tiefe. Es ist nicht der Körper, der jemals die Schuld an irgendetwas hat.

Ich hab ihn vermisst, sagt Stefan. In allen Häusern, in denen ich gewohnt habe, in allen Zimmern, in denen ich geschlafen habe, habe ich den Himmel vermisst.

Ich mal dir einen neuen, sage ich scherzhaft. Beim Gedanken an sein Schlafzimmer, an seine Frau sage ich, das könnte ich nicht aushalten, einen Mann, der mir untreu wäre.

Das brauchst du auch nicht, lächelt er und sieht mich mit einem Funkeln in den Augen an, du bist diejenige, mit der ich untreu bin. Indem ich mit dir untreu bin, bin ich mir selbst treu. Uns. Er drückt seine Nase in mein Haar. Manchmal, sagt er, flammten deine Haare in meinem Traum auf. Um mich daran zu erinnern, dass du noch immer in mir geschlummert hast, wie ein nie eingelöstes Versprechen.

Apropos Untreue, er spannt die Kiefermuskeln, das Schlimmste habe ich dir nie erzählt. Das Schlimmste über ihn und sie.

Ist das jetzt der Augenblick dafür, klage ich. Ich möchte, dass die wohlige Zufriedenheit, die uns umhüllt, andauert, ewig andauert.

Das ist genau der richtige Augenblick dafür, meint er, es hat mit dir und mir zu tun, indirekt, ob wir wollen oder nicht. Er zieht mich an sich. Mein Kopf liegt auf seiner Brust, während er redet, spüre ich die Vibration seiner Stimmbänder. Ich spüre, dass er lebt, dass ich lebe, dass das ganze Universum in uns lebt.

Während ich auf seine Stimme lausche, die ruhig ist, als würde er über alltägliche Dinge reden, löst sich das Zimmer im Hotel Astória auf. Dieses gesegnete Zimmer, das Hotel, die Stadt, sie verflüchtigen sich in meinem Bewusstsein. Die Zeit schrumpft, sie wird wie ein kleiner, beklemmender Fahrstuhl, in den zu viele Menschen hineingepfropft sind, sodass kaum noch Luft zum Atmen bleibt.

Du weißt, dass in der Holzwand zwischen ihrem

Schlafzimmer und dem Alkoven, in dem er sich versteckt hielt, ein Loch war. Hast du jemals über die Bedeutung, die Tragweite dieses kleinen Aststücks, das im Holz fehlte, nachgedacht? Nein, sage ich leise. Während ich es sage, dämmert mir, worauf er hinauswill. So weit bin ich mit meinen Gedanken nie gegangen, so weit habe ich nie zu gehen gewagt.

Sie hätte ihren Liebhaber im Wohnzimmer empfangen können, sagt er, das war vom Alkoven aus nicht zu sehen. Dort stand ein Sofa für Gäste. Aber nein, sie nahm ihn mit ins Schlafzimmer, damit Vater es sah. Damit der Mann, den sie liebte... Das ist keine Liebe, unterbreche ich ihn. Doch, es war Liebe. Sie wollte, dass der Mann, den sie auf ihre Art liebte, sah, was sich im Schlafzimmer, im Bett, das er nachts mit ihr teilte, abspielte.

Sie... wollte ihn leiden lassen, ich ringe nach Worten, sie hatte Freude daran, wenn er litt.

Ja, seine Eifersucht war noch heftiger als seine Angst. Er verzehrte sich dort im Alkoven, er riss sich die Haare vom Kopf. Wäre er ein Voyeur gewesen, hätte er es vielleicht anders erlebt, aber nein, er litt. Er sah die Mütze mit dem Emblem am Bettpfosten hängen, er sah die Uniform auf dem Stuhl, er sah den entblößten Körper dessen, der ihn sofort denunzieren würde, wenn er von seiner Anwesenheit wüsste. Und sie wusste es und kostete es aus. Mit dem Deutschen tat sie alles, was sie mit ihm nicht tun wollte. Als spielte sie die Hauptrolle in einem Film, der nur aus Szenen bestand, die man in jener Zeit herausgeschnitten hätte.

Eine Decke, sage ich und richte mich halb auf, ich nehme die Decke, ich friere.

War der Deutsche gegangen, Mütze auf, Uniform an, wollte sie den Mann im Versteck. Das war für sie die Krönung. Wenn er so war, ängstlich und eifersüchtig, fieberte sie nach ihm.

Und Vater ...? Ich wage es kaum zu fragen.

Er tat, was sie von ihm verlangte. Sie zwang ihn, sie hatte ihn in der Gewalt. Vagina dentata, grinst er, so bin ich gezeugt worden.

Wir liegen reglos da, jeder von uns eingeschlossen in sein Unvermögen, das Geschehene irgendwie zu entschärfen, es zu bagatellisieren. Von weitem ertönt ab und zu das Geräusch eines Autos in der Nacht. In der Einsamkeit einer von Menschen bewohnten Welt sehe ich meinen Vater, der noch nicht mein Vater ist. Er besitzt nichts, außer seinem Cello. Die Sprache beherrscht er nur mangelhaft. Dies ist nicht sein Land. Es ist Krieg. Sie besitzt alles, sie hat die Macht. Sie genießt es, die Moral, die Vitalität, die Selbstachtung des Mannes, der noch nicht mein Vater ist, zu brechen. Sie legt es darauf an, in einer zweifachen Ausschweifung auf seine Kosten zu triumphieren. Sie will es immer wieder, sie bekommt nie genug davon. Für das, was sie ist, gibt es Worte, Fachbegriffe. Man findet sie in medizinischen Handbüchern, in berühmten Krankheitsgeschichten, in pornografischer Literatur. Für das, was sie ist, gibt es keine Worte.

Ich räuspere mich. Wann hat er dir das erzählt?

Schon am Anfang. Er hat gesagt: Ich will offen sein. Vielleicht kann sich etwas entwickeln zwischen uns, als Vater, als Sohn, aber zuerst will ich dir erzählen, wie es gewesen ist. Du darfst nichts Unmögliches von mir erwarten. Ich bin ein anderer als der, der ich vor langer Zeit war.

Hat er dir gesagt, wie er es verkraftet hat, nach dem Krieg? Er hat es nie verkraftet. Er sagte, er hätte bei seiner Familie sein müssen, damals. Statt bei ihnen zu sein, hat er überlebt, als Spielball einer perversen Frau. Was ihn dabei am meisten erniedrigte, ihn bis zum Selbsthass trieb, war die Tatsache, dass sein Körper sie weiterhin liebte. Wie ein Kranker, der nicht mehr ohne seine Medizin sein kann, auch wenn sie die schrecklichsten Nebenwirkungen hat. Scham war nicht das richtige Wort für seine Empfindungen, sagte er, auch nicht Schuld. Wenn es einen Begriff gäbe für etwas, das schlimmer ist als Scham und Schuld zusammen, würde er dieses Wort dafür benutzen. Er würde es an einem Ort, wo ihn niemand hören könnte, in die Welt hinausschreien, tausendmal, bis es seine Schärfe verlöre und sich abnutzte und vielleicht nur noch einen vagen Schmerz hinterließe. Vielleicht gab es dieses Wort, das erlösende Wort, aber er kannte es nicht.

Darum war er immer so schweigsam, sage ich, und wir dachten, es hätte an uns gelegen, wir hätten etwas falsch gemacht, so, wie wir waren, seien wir nicht gut genug gewesen.

Trost geht von seinem warmen Körper aus, etwas brüderlich Beruhigendes. Wir horchen in die Stille. In der Stille der Nacht in Budapest schwingen die Echos derer nach, die hier gelebt haben. Man hört das Strömen der Donau, die intuitive Bewegung des Wassers, das ohne Gewissen ist, man hört das Gurgeln der unterirdischen Quellen wie lüsterne, beunruhigende Gefühle, die mit einem Rülpser an die Oberfläche kommen. Ein vager Widerhall von Vergangenheit und Zukunft hängt über den Dächern, nie kann man sagen, dass Ruhe herrscht in einer Stadt wie dieser, dass die Menschen damit aufgehört haben, andere zu unterwerfen, dass ihr Abscheu vor der überall und immer vorhandenen Gewalt sie davon abhält, diese Gewalt in ihrem persönlichen Mikrokosmos zuzulassen. Ein Gefühl der Vergeblichkeit überkommt mich bei dem Gedanken an den allgegenwärtigen Geltungsdrang, das Verlangen, über Menschen, Tiere, Dinge zu herrschen.

Aber du, sage ich leise, du neigst auch dazu, zwei Geliebte gleichzeitig zu haben.

Das ist etwas anderes! Er fährt hoch. Wütend. Wie ich dazu käme! Wie ich dazu käme, so etwas zu sagen. Er habe nie jemanden gezwungen. Die Frauen, die er gekannt hat, kamen und gingen aus freien Stücken. Das ist ein wesentlicher Unterschied. Wie könne ich das mit dem Machtmissbrauch, der Gewissenlosigkeit seiner Mutter in einen Topf werfen!

Das tue ich auch nicht, sage ich, verzeih. Er beruhigt sich, legt sich wieder hin. Ich frage ihn, ob er es seiner Mutter jemals vorgeworfen hat. Noch am selben Tag! Noch am selben Tag ist er zu ihr gegangen. Sie hat ihn zur Verzweiflung getrieben, indem sie alles bestritten hat, indem sie bei ihrer alten Lesart geblieben ist, dass sie alles nur getan hätte, um den Mann zu retten, aus Liebe. Nur aus Liebe zu ihm hätte sie sich mit einem Deutschen eingelassen. Aber nie, nie habe sie ein Dankeswort bekommen. Ihr Schützling habe sie allein zurückgelassen, mit einem Kind, inmitten feindseliger Nachbarn. Ein einziges Wort von ihm, eine kurze Erklärung gegenüber den Leuten hätte genügt, um ihr und ihrem Kind eine Menge Kummer zu ersparen. Aber er sei auf und davon, sofort. Ihre große Liebe, noch immer, sei sang- und klanglos verschwunden. Sie ließe sich nicht von ihrem

Sohn beschuldigen, er wisse nicht, wie es war, er könne nicht darüber urteilen.

Es ist unglaublich, sage ich, wie erfinderisch Menschen sind, wenn es darum geht, die Wahrheit zu verdrehen. Um sie für ihr Gewissen erträglich zu machen.

Ich weiß nicht, ob sie ein Gewissen hat, sagt Stefan.

Er hat sie in ihrem Selbstmitleid zurückgelassen und ist jahrelang weggeblieben. Jahrelang hat er sich nicht um seine Mutter gekümmert. Er hat sie nicht vermisst, seine Abneigung gegen sie war so groß, dass er nicht einmal mehr an sie dachte. Auch nicht an seine Kindheit, Gedanken an sie und ihn in seiner Kindheit waren unmöglich geworden. Denn sie hatte ihn angebetet, man konnte es nicht anders nennen, sie hatte ihn verwöhnt. Sie hatte alles für ihn geopfert, damit er nie das Gefühl haben sollte, dass es ihm an etwas mangelte. Er liebte Musik? Viel eher als seine Freunde besaß er einen Plattenspieler und eine Plattensammlung. In den Fünfzigerjahren, als niemand große Sprünge machen konnte. Er interessierte sich für Physik? Sie kaufte ihm Bücher, eine Reihe für die Jugend über Einstein, Edison, Madame Curie. Sie schenkte ihm einen Chemiekasten, damit er Versuche machen konnte, sie war sein Publikum, wenn er Dinge explodieren oder verschwinden ließ. Nein, jahrelang hatte er einfach nicht mehr an sie gedacht.

Und heute?, frage ich.

Ach, seufzt er, heute ist sie alt und vergesslich. Sie ist niedergeschlagen, sie erträgt den körperlichen und geistigen Verfall nicht. Sie erinnert sich nicht an die Vorwürfe, die er ihr gemacht hat. Er besucht sie hin und wieder, sie weiß nicht mehr, dass sie sich jahrelang nicht gesehen haben. Er empfindet ein abstraktes Mitleid, sie ist seine Mutter.

Meine Fingerspitzen streichen über seinen Adamsapfel. Sein Adamsapfel rührt mich. Gefühle können die Kehle so beengen, dass kein Laut mehr daraus hervordringt. Noch immer höre ich, besser als die spärlichen Dinge, die er sagte, das Schweigen meines Vaters, die deutlich hörbare Abwesenheit beruhigender Laute.

Ich gehe schlafen, sagt Stefan, ich muss morgen früh aufstehen. Ich liebe dich, für immer.

Er küsst mich. Ich spüre, wie sein Körper erschlafft, ich höre seine regelmäßigen Atemzüge. In diesem Erschlaffen, in dieser Regelmäßigkeit des Atmens, löst er sich schon von mir. Der Abschied, das Alleinzurückbleiben liegt darin bereits beschlossen. Er ist stark. Er hat gelernt, in jeder Situation einen Schalter in sich umzudrehen und einzuschlafen.

Sie, die ich immer gesucht habe, geht in eine große, leere Fläche, in ein Meer von Licht. Sie trägt das sandfarbene, hochgeschlossene Kleid, das mehr ein Kittel ist. Es ist, als sähe ich sie im flirrenden Licht eines Bildschirms. Je näher sie kommt, desto älter wird sie. Von dem Mädchen auf dem Aquarell wird sie die Mutter auf den Fotos. Sie winkt mir. Komm. Komm. Sie breitet die Arme aus.

Es ist nicht meine Großmutter, ich bin es selbst, ich breite die Arme für mich aus. Ich gehe auf mich selbst zu, aber die andere geht nun rückwärts und dann zur Seite. Schließlich schiebt sie sich seitwärts aus dem Bild. Sie, die meine Großmutter nicht ist, sondern die ich selbst bin, tritt vor meinen Augen seitwärts aus dem Bildschirm, über den Rand hinweg. Sie verschwindet, ich stehe mit leeren Händen in einer leeren, hellen Fläche.

Ich fahre erschrocken aus dem Schlaf hoch. Als Erstes taste ich nach ihm, ich erwarte, dass er nicht mehr da ist. Er ist noch da. Nachts aufwachen und ihn neben mir finden! Für sie ist das ganz normal und wird es auch bleiben. Es ist verlockend, das Leben als eine sich entwickelnde Erzähllinie zu sehen, bei der Streben, Hoffen und Abwarten zum Schluss belohnt werden. Wenn diese Nacht die Belohnung gewesen ist, will ich den Rest dann überhaupt noch hören?

Ich rühre mich nicht und lausche seinen Atemzügen. Ich liege still da und habe jetzt schon Sehnsucht nach dieser Nacht.

Zum historischen Kontext des jüdischen Budapest habe ich für diesen Roman dankbar Gebrauch gemacht von Géza Komoróczy (Hg.), *Jewish Budapest. Monuments, Rites, History*, Central European University Press, Budapest.

Mit Dank an András und Juli Wieg und an Eva Vörös.

Tessa de Loo